W9-DBY-954

SANDRA BROWN

ГРЯЗНЫЕ ИГРЫ

ДЫМОВАЯ ЗАВЕСА

АЛИБИ

БЕЗЗВУЧНЫЙ КРИК

ЗАЛОЖНИЦА

ИСПЫТАНИЕ

СОКРОВЕННЫЕ ТАЙНЫ

КАК ДВЕ КАПЛИ ВОДЫ

ЖАР НЕБЕС

РИКОШЕТ

ЛИВЕНЬ

ПРАЙМ–ТАЙМ

РАСПЛАТА

МАРДИ ГРА

СМЕРТЬ В НОЧНОМ ЭФИРЕ

ТА, КОТОРОЙ НЕ СТАЛО

СВИДЕТЕЛЬ

НЕТ ДЫМА БЕЗ ОГНЯ

ТЕХАС! ЛАКИ

ТЕХАС! СЕЙДЖ

ТЕХАС! ЧЕЙЗ

СЦЕНАРИСТ

ЗАВИСТЬ

УБИЙСТВЕННЫЙ ЗНОЙ

ТРУДНЫЙ КЛИЕНТ

ФАКТОР ХОЛОДА

ШАРАДА

ЭКСКЛЮЗИВ

ФРАНЦУЗСКИЙ ШЕЛК

НА ЗАКАТЕ

НОВЫЙ РАССВЕТ

ЖАЖДА

МУЖСКИЕ КАПРИЗЫ

ЖЕНСКИЕ ФАНТАЗИИ

СМЕРТЕЛЬНО ВЛЮБЛЕННЫЙ

МИСС ПАИНЬКА

ПАРК СОБЛАЗНОВ

ЗАВТРАК В ПОСТЕЛИ

СЛАДКАЯ БОЛЬ

НЕ ПРИСЫЛАЙ ЦВЕТОВ

ПОХИЩЕНИЕ ПО-АМЕРИКАНСКИ

САНДРА БРАУН

ПОХИЩЕНИЕ ПО-АМЕРИКАНСКИ

ЭКСМО
МОСКВА
2013

УДК 82(1-87)
ББК 84(7США)
    Б 87

Sandra Brown

HAWK O'TOOLE'S HOSTAGE

© 1988 by Sandra Brown

This translation is published by arrangement with Bantam Books,
an imprint of The Random House Publishing Group,
a division of Random House, Inc.

Перевод с английского *У. Сапциной*

Художественное оформление *В. Безкровного*

Браун С.

Б 87   Похищение по-американски / Сандра Браун ; [пер.
с англ. У. Сапциной]. — М. : Эксмо, 2013. — 256 с. —
(Сандра Браун. Мировой мега-бестселлер).

ISBN 978-5-699-64695-1

Когда на экскурсионный поезд напали бандиты, никто из пассажиров сначала не понял, что это вовсе не розыгрыш. Захватив в плен
Миранду и ее шестилетнего сына, преступники увезли их в индейскую
резервацию. Вскоре женщина обнаружила, что их похититель — молодой вождь племени Ястреб О'Тул — человек благородный и добрый и
только безвыходная ситуация могла заставить его пойти на преступление...

УДК 82(1-87)
ББК 84(7США)

ISBN 978-5-699-64695-1

1

ни выглядели точь-в-точь как настоящие грабители поездов из вестерна — от запыленных шляп до позвякивающих шпор на сапогах.

Чтобы не врезаться в баррикаду из бревен, сложенную на рельсах, паровоз, изрыгнув облако пара, затормозил, и поезд остановился. Актеры, на редкость убедительно играющие свои роли, вылетели из густых зарослей по обеим сторонам железной дороги. Кони взрывали дерн копытами, пока всадники не осадили их возле рельсов, подняв на дыбы. Оставив вышколенных животных под присмотром одного из своих, «грабители» с повязками на лицах и с оружием наготове ворвались в вагон.

— Не припомню, чтобы об этом говорилось в проспекте, — беспокойно заметила одна из пассажирок.

— Разумеется, дорогая! Иначе весь сюрприз был бы испорчен, — со смешком заверил ее муж. — Захватывающее зрелище, верно?

Миранда Прайс была с ним согласна — зрелище что надо, достойное каждого цента, уплаченного за билет на экскурсию. Умело поставленная сцена налета увлекла всех пассажиров, и в особенности шестилетнего сына Миранды, Скотта. Мальчик сидел рядом с Мирандой, всецело поглощенный представлением. Он не сводил блестящих глаз с главаря банды, который не спеша пробирался по узкому проходу между сиденьями, пока остальные бандиты стояли на страже у обеих дверей вагона.

— Всем оставаться на своих местах, не паниковать, и вас никто не тронет.

Вероятно, главарь был временно безработным актером из Голливуда, а может, и каскадером, нашедшим выгодную работу на лето, чтобы пополнить свои ненадежные доходы. Сколько бы ему ни платили, за такую работу этого мало, решила Миранда. Он просто создан для подобной роли.

Шейный платок прикрывал нижнюю половину лица главаря, приглушая голос, и тем не менее его отчетливо слышал каждый пассажир старинного вагона. Костюм тоже выглядел абсолютно правдоподобно: черная шляпа, надвинутая до самых бровей, длинный грязно-белый плащ из грубой материи, а на бедрах — кожаный ремень с кобурой. Кобура была пуста: «грабитель» держал свой «кольт» в затянутой перчаткой правой руке. Он шагал между рядами сидений, вниматель-

6

но всматриваясь в каждое лицо. При ходьбе его шпоры мелодично позвякивали.

— Он и правда ограбит нас, мама? — прошептал Скотт.

Миранда отрицательно покачала головой, не сводя глаз с железнодорожного грабителя.

— Все это понарошку. Нам нечего бояться.

Но, отвечая сыну, Миранда вдруг засомневалась в своей правоте, поскольку в тот же миг взгляд актера остановился на ее лице. Миранда судорожно вздохнула. Глаза главаря, казалось, пронзили ее насквозь. Это были удивительные глаза — ярко-голубые и при этом холодные как лед. Но не это заставило ее задохнуться. Миранду поразила откровенная враждебность, почти ненависть, сверкающая в его взоре. Если этот человек всего лишь играл роль, то, значит, просто зря растрачивал недюжинный актерский талант на подобные представления для туристов.

Главарь не отрывал пылающего пристального взгляда от Миранды, пока наконец сидящий перед ней пассажир не спросил у бандита:

— Прикажешь нам вывернуть карманы, приятель?

Грабитель перевел взгляд с Миранды на неожиданного помощника и пожал плечами:

— Само собой.

Смеясь, турист поднялся и сунул руки в карманы своих клетчатых бермудов. После непродолжительных поисков он извлек кредитную карточку и помахал ею перед лицом бандита.

— Без нее я никогда не выхожу из дома, — пророкотал пассажир и вновь рассмеялся.

Его смех заразил остальных пассажиров вагона — всех, кроме Миранды. Она смотрела на грабителя не отрываясь: несмотря на всеобщее веселье, в его угрюмом взгляде не блеснуло даже искорки смеха.

— Будьте любезны сесть, — приглушенным голосом произнес бандит.

— Не расстраивайтесь! У меня есть еще один карман. — Турист вытащил пригоршню наличных и бросил их грабителю. Не опуская револьвера, тот поймал деньги левой рукой. — Вот так-то! — Широко улыбаясь, жизнерадостный турист огляделся, ожидая одобрения, и получил его полной мерой от остальных пассажиров. Все зааплодировали, кто-то свистнул. Бандит сунул деньги в карман плаща.

— Благодарю.

Мужчина уселся рядом со своей женой, которая выглядела смущенной и обеспокоенной. Муж потрепал ее по руке:

— Это же просто розыгрыш. Подыграй им, дорогая.

Забыв о супругах, грабитель перевел взгляд на Скотта, сидевшего рядом с Мирандой у окна. Мальчик с благоговейным трепетом взирал на человека с платком на лице.

— Привет.

— Привет, — отозвался Скотт.

— Не хочешь помочь мне сбежать?

Невинные глаза ребенка раскрылись еще шире. Он сверкнул улыбкой, обнажившей дырку от выпавшего переднего зуба.

— Конечно!

— Дорогой, — осторожно вмешалась Миранда, — я бы...

— С ним ничего не случится. — Твердый взгляд поверх платка ничуть не убавил опасений Миранды — напротив, усилил их. Холодный, безжалостный блеск глаз противоречил заверению бандита.

Он протянул руку Скотту, и мальчик охотно и доверчиво взялся за нее. Переступив через ноги матери, он выбрался в проход и в сопровождении грабителя зашагал к передней двери вагона. Другие дети провожали Скотта завистливыми взглядами, а взрослые подбадривали веселыми возгласами.

— Вот видишь! — обратился к жене пассажир, сидевший рядом с Мирандой. — Я же говорил тебе: это всего лишь игра. Они даже привлекают к участию в ней детей.

Когда мужчина и ребенок были уже на полпути к выходу, Миранда вскочила и бросилась за ними.

— Постойте! Куда вы его ведете? Я не хочу, чтобы он выходил из поезда.

Грабитель обернулся и вновь пронзил ее яростным взглядом.

— Я же сказал: с ним ничего не случится.

— Куда вы идете?

— Прокатиться верхом.

— Без моего разрешения вы не имеете права!

— Мама, пожалуйста!

— И вправду, леди, позвольте малышу прокатиться, — вмешался неугомонный турист. — Ведь это часть представления. Ваш сын будет доволен.

Не обращая на него внимания, Миранда спешила по проходу за грабителем, который уже тянул Скотта к открытым дверям вагона. Миранда прибавила шагу.

— Я бы попросила вас не...

— Сядьте, мадам, и замолчите!

Ошеломленная резким тоном, она обернулась. Двое бандитов, которые охраняли заднюю дверь вагона, нагнали ее. Над повязками их глаза были настороженными, нервными, почти испуганными, словно Миранда собиралась сорвать тщательно продуманный план. Именно в этот миг Миранда поняла: происходящее вовсе не представление для туристов. Ни в коей мере.

Развернувшись, она пронеслась по проходу и выбежала на площадку между пассажирским вагоном и локомотивом. Двое мужчин, уже сидевших в седлах, тревожно оглядывались. Главарь подсаживал Скотта на своего коня.

Вцепившись обеими руками в густую гриву, Скотт восторженно щебетал:

— Ух ты, какой огромный! Мы сидим так высоко!

— Держись крепче, Скотт, и не упадешь. Это очень важно, — наставлял его бандит.

Он назвал его Скоттом!

Он знал, как зовут мальчика!

Материнский инстинкт подсказал Миранде, что ее ребенку грозит опасность. Она выпрыгнула из вагона и приземлилась на четвереньки на гравийную насыпь, в кровь ободрав ладони и колени. Рядом с ней мгновенно очутились двое бандитов, схватили ее за руки и удержали на месте, едва Миранда рванулась к сыну.

— Отпустите ее! — рявкнул главарь. — Садитесь верхом. Пора сматываться отсюда.

Двое бандитов отпустили Миранду и устремились к ожидавшим их лошадям. Держа поводья в одной руке, а револьвер — в другой, главарь велел Миранде:

— Вернитесь в вагон. — И указал взглядом в сторону поезда.

— Снимите моего сына с лошади.

— Повторяю: с ним ничего не случится. В отличие от вас, если вы не подчинитесь по-хорошему и не вернетесь в вагон.

— Не спорьте с ним, леди. Это настоящие бандиты, — раздался приглушенный голос.

Миранда испуганно обернулась, пытаясь понять, кто говорит. Машинист паровоза лежал лицом вниз на гравии рядом с рельсами, положив ладони на затылок. Еще один бандит держал его под прицелом.

Миранда издала тревожный крик и бросилась к сыну, протягивая руки:

— Скотт, иди сюда!

— Зачем, мама?

— Спускайся сейчас же!

— Не могу, — прохныкал мальчик. Тревога матери передалась ему. Шестилетний ребенок вдруг осознал, что игра кончилась. Тонкие пальчики, цепляющиеся за конскую гриву, судорожно сжались. — Мама! — расплакался он.

Главарь злобно выругался, а Миранда, не помня себя от ярости, набросилась на него.

— Не выпускайте никого из вагонов! — прокричал он своим сообщникам.

Пассажиры, прильнувшие к окнам на этой стороне вагонов, запаниковали. Кто-то выкрикивал советы Миранде, женщины в ужасе визжали. Некоторые были настолько потрясены, что застыли на местах, лишившись дара речи. Родители хватали детей на руки и судорожно прижимали к себе.

Миранда боролась, как тигрица, у которой отнимают котенка. Ее ухоженные ногти превратились в когти, которые она вонзила бы в лицо бандита, если бы смогла дотянуться до него. Не прошло и нескольких секунд, как мужские пальцы сомкнулись на запястьях Миранды подобно наручникам. Соперник явно превосходил ее в силе. Миранда бешено лягалась, наконец ухитрилась ударить коленом в промежность противника, была вознаграждена сдавленным ворчанием и удивилась, когда ворчание резко оборвалось.

— Отпустите моего сына!

Главарь с силой толкнул Миранду, и она не удержалась на ногах. Не замечая боли, она тут же вскочила и вновь накинулась на противника, который уже успел вдеть ногу в стремя. Стремительно налетев на него, Миранда чуть не опрокинула его и потянулась к Скотту. Мальчик прыгнул к ней на руки, ударившись о грудь Миранды так, что она на миг задохнулась. Однако ей удалось удержать равновесие, и она, развернувшись, бросилась бежать, ничего не видя перед собой. Остальные бандиты уже успели усесться в седла. Крики перепугали лошадей. Они стали испуганно перебирать ногами, поднимая клубы пыли, которая заслонила Миранде обзор и набилась в нос и в рот.

Казалось, тысяча булавок воткнулась Миранде в голову — бандит схватил ее за волосы, вынуждая замереть на месте.

— Черт бы тебя побрал! — раздался его голос из-под платка. — Все могло пройти так удачно!

Рискнув отпустить Скотта, Миранда потянулась к платку, скрывавшему лицо бандита. Он перехватил ее руку и отдал приказ на языке, которого Миранда не поняла. Из клубящейся пыли мгновенно возник всадник.

— Забери мальчика. Он поедет с тобой.

— Нет! — закричала Миранда.

Скотта вырвали из ее рук. Бандит обхватил ее за талию и потащил прочь. Миранда принялась отбиваться с удвоенной силой. Она упиралась, вонзая каблуки в землю, и старалась не упустить из виду Скотта, который громко плакал от страха и звал маму.

— Я убью тебя, если с моим сыном хоть что-нибудь случится!

Но угроза Миранды, похоже, не произвела впечатления на бандита; он забрался в седло и потащил ее за собой. Ноги Миранды еще болтались в воздухе, когда незнакомец пришпорил лошадь. Сделав небольшой крюк, лошадь устремилась в гущу леса. Остальные всадники последовали за ней.

Лошади неслись среди высоких сосен так стремительно, что Миранда больше боялась не самих похитителей, а того, что упадет и будет затоптана насмерть. Она схватилась за ремень бандита в страхе, что он сбросит ее с седла.

В конце концов лес поредел, но всадники продолжали бешеную скачку, не сбавляя скорости. Начался подъем в гору. Земля становилась все более каменистой. Подковы стучали по камням, образующим выступы, по которым, как по ступенькам, ловко взбирались лошади. Миранда слышала доносившийся сзади плач Скотта. Если она, взрослая женщина, до смерти перепугалась, то какой же ужас должен был испытывать ребенок? Спустя полчаса всадники достигли перевала, а затем, придерживая лошадей, начали спуск. Когда впереди показалась первая сосновая роща, главарь пустил лошадь шагом, а вскоре и совсем остановился. Он сжал талию Миранды.

— Прикажите своему сыну замолчать.

— Идите к черту!

— Клянусь, леди, я оставлю вас здесь на съедение койотам, — пригрозил главарь сиплым голосом. — От вас тогда и следов не останется.

— Я вас не боюсь!

— А зря. Но подумайте хотя бы о том, что вы больше никогда не увидите своего сына.

Взгляд голубых глаз над черной повязкой обжег ее ненавистью. Надеясь хоть немного обезоружить его, Миранда протянула руку и сорвала с лица бандита платок, но тут же пожалела об этом.

Лицо незнакомца произвело на нее слишком сильное впечатление. Волевое, мужественное, с резкими чертами. Высокие скулы, квадратная челюсть, над тонкими губами — длинный прямой нос. Такое лицо могло принадлежать только незаурядному, сильному человеку.

— Скажите сыну, чтобы перестал плакать, — повторил он.

Скрытая угроза в его тоне заставила Миранду похолодеть. Она не перестала бы бороться, имея хотя бы один шанс на победу, но теперь, глядя на это словно высеченное из гранита лицо, поняла: любые ее усилия окажутся тщетными. Миранда не была трусихой, но и не отличалась безрассудством. Подавив гордость и страх, она дрожащим голосом позвала:

— Скотт! — Подождав и убедившись, что рыдания не утихают, она прокашлялась и окликнула погромче: — Скотт!

— Мама? — Скотт оторвал перепачканные ладошки от заплаканных глаз и повертел головой, высматривая мать.

— Не плачь, дорогой, ладно? Эти люди не причинят нам вреда.

— Я хочу домой!

— Знаю. Я тоже хочу. Мы обязательно поедем домой. Думаю, что скоро. А пока перестань плакать, договорились?

Маленькие кулачки вытерли остатки слез. Напоследок ребенок всхлипнул.

— Ладно. Можно я поеду с тобой? Мне страшно.

Миранда перевела взгляд на главаря бандитов:

— Можно ему...

— Нет, — отрезал тот, не дожидаясь, пока Миранда закончит вопрос.

Не обращая внимания на яростный взгляд Миранды, незнакомец обратился к своим сообщникам, отдавая приказания. Кавалькада перестроилась, и лошадь, на которой сидел Скотт, оказалась второй по порядку. Прежде чем тронуться с места, главарь резко спросил:

— Вы умеете ездить верхом?

— Кто вы такой? Чего хотите от нас? Зачем вам мой сын?

— Перебросьте правую ногу через седло. Так будет надежнее и удобнее.

— Вам известно, кто такой Скотт. Я слышала, вы назвали его по имени. Что вы... Ой!

Просунув ладонь между бедрами Миранды, незнакомец приподнял ее и посадил в седло. Кожа седла оказалась горячей, но это ощущение было невозможно сравнить с прикосновением ладони в перчатке к бедрам Миранды. Прежде чем она оправилась от потрясения, незнакомец успел пристроить ее между собой и лукой седла. Прижав ладонь к низу живота Миранды, он придвинул ее к себе вплотную.

— Прекратите лапать меня!

— Я всего лишь усаживаю вас поудобнее.

— Я не просила сажать меня в седло!

СΑНДΡΑ БΡΑУН

— Вы можете спешиться и отправиться дальше пешком в любую минуту, мадам. В мои планы не входило брать вас с собой, и потому, если условия поездки вас не устраивают, вините только себя.

— Вы думаете, я позволю вам увезти моего сына? Надеетесь, я сдамся без борьбы?

Суровое лицо незнакомца не выражало никаких эмоций.

— Я вообще о вас не думаю, миссис Прайс.

Он двинул коленями, и лошадь зашагала вперед, отставая от остальных на несколько ярдов. Миранда умолкла — она была слишком потрясена и растеряна. Ее беспокоило, что незнакомец назвал ее имя, но в данный момент больше всего волновала его рука, по-хозяйски лежащая на ее бедре.

— Вы знаете меня? — Миранда старалась не выдать голосом свою тревогу.

— Мне известно, кто вы такая.

— Тогда у вас явное преимущество передо мной.

— Вот именно.

Миранда надеялась выведать имя незнакомца, но тот сохранял стоическое молчание, осторожно направляя лошадь вниз. Какой бы рискованной ни была скачка вверх по склону, спуск вниз оказался значительно опаснее. Каждую минуту Миранда ожидала, что передние ноги лошади заскользят по камням, ее бросит вперед и

18

они будут кубарем катиться вниз до самого подножия горы.

Миранда опасалась за Скотта. Тот по-прежнему плакал, хотя уже не так надрывно, как прежде.

— Этот человек, который везет моего сына, он хорошо ездит верхом?

— Можно сказать, Эрни родился в седле. Он не допустит, чтобы с мальчиком что-нибудь случилось. У самого Эрни несколько сыновей.

— Тогда он должен понять мои чувства! — воскликнула Миранда. — Почему вы схватили нас?

— Скоро узнаете.

Последовавшее за этими словами молчание было пронизано враждебностью. Поняв, что все ее расспросы бесполезны, Миранда решила, что больше не произнесет ни слова, хотя бы для того, чтобы не доставлять незнакомцу удовольствия игнорировать ее вопросы.

Внезапно лошадь споткнулась. Из-под копыт покатились камни. Перепуганное животное попыталось удержаться на месте, но не сумело и заскользило вниз по склону. Миранда чуть не кувыркнулась вперед через голову лошади. Чтобы не упасть, она вцепилась левой рукой в луку, а правой сжала бедро незнакомца. Обхватив твердой рукой талию Миранды, другой рукой главарь банды спокойно и уверенно натягивал поводья. Мышцы его бедер напряглись, чтобы удержать двух седоков в седле, и спустя некоторое время, показавшееся вечностью, лошадь вновь обрела устойчивость.

Миранда едва могла дышать — мощная рука сдавила ей грудь. Незнакомец не отпускал ее до тех пор, пока лошадь вновь не стала полностью ему подчиняться, тогда только ослабил хватку. Облегченно вздохнув, Миранда слегка подалась вперед, словно радуясь свободе, но держалась настороже.

Несколько минут назад, когда лошадь оступилась, Миранда невольно схватилась рукой за бедро незнакомца и коснулась кобуры. Револьвер был в пределах ее досягаемости! Все, что оставалось сделать, — взять себя в руки и тщательно продумать дальнейшие действия. Если она сумеет застать незнакомца врасплох, у нее есть шанс выхватить револьвер и прицелиться в него. Возможно, ей удастся остановить остальных бандитов, удерживая их главаря под прицелом так долго, чтобы успеть забрать Скотта. Несомненно, она сумеет найти обратную дорогу к поезду, где полиция, должно быть, уже ведет поиски. Пройти по следу банды будет несложно, ведь похитители не делали никаких попыток замести его. Вероятно, их отыщут еще до наступления темноты.

А тем временем надо убедить преступника, что она смирилась со своей участью и готова подчиниться его воле. Постепенно, чтобы это не было так очевидно, Миранда расслабилась, прислонившись к его груди. Она также прекратила попытки держаться на расстоянии от его бедер. Перестав сжимать ягодицы, она прижалась ими к телу незнакомца.

Наконец Миранда уронила голову на плечо своего похитителя, словно задремала, убаюканная качкой. Она позаботилась, чтобы он видел: ее глаза закрыты. Она поняла, что бандит посмотрел на нее, потому что ощутила жар его дыхания на лице и шее. Глубоко вздохнув, она намеренно приподняла повыше грудь, натянувшую ткань легкой летней блузки. Опустившись, грудь тяжело легла на руку незнакомца, по-прежнему крепко сжимающую талию Миранды.

Но Миранда не осмеливалась пошевелить рукой, пока не наступил момент, который она сочла подходящим. К тому времени ее сердце колотилось так сильно, что Миранда боялась, как бы незнакомец не почувствовал его биение. Ладони покрылись потом. Миранда опасалась, что вскоре ее рука станет слишком скользкой и не сможет удержать рукоятку револьвера. Чтобы избежать этого, она должна действовать без промедления.

Одним движением Миранда выпрямилась и протянула руку за револьвером.

Но главарь отреагировал быстрее.

Его пальцы сжались на запястье Миранды как клещи, отдергивая ее руку от оружия.

Миранда вскрикнула, скорее от разочарования, чем от боли.

— Мама! — послышался возглас Скотта. — Мама, что с тобой?

Стиснув зубы от боли, Миранда ухитрилась выговорить:

— Ничего, дорогой, ничего. Со мной все в порядке. — Пальцы незнакомца разжались, и Миранда спросила у Скотта: — А как ты?

— Я хочу пить, и мне надо в туалет.

— Скажите ему: пусть потерпит еще немного. Мы скоро приедем.

Миранда как могла успокоила сынишку. Скотт на время замолчал. Бандит придержал лошадь, пока последний всадник из кавалькады не скрылся из виду, а затем, взяв Миранду за подбородок, повернул ее лицом к себе.

— Если вам так не терпится подержать в руках что-нибудь заряженное и опасное, миссис Прайс, я могу доставить вам такое удовольствие. Правда, вместо револьвера у меня имеется кое-что не менее твердое. Впрочем, вы уже убедились в этом, верно? Последние двадцать минут вы только и делали, что терлись о мой ствол своим мягким местом. — Глаза незнакомца потемнели. — Впредь не стоит недооценивать меня.

Миранда отдернула голову и выпрямилась в седле, держа спину ровно и неподвижно, как древко знамени. Такое положение вскоре дало о себе знать. Все началось с мучительного жжения между лопатками. Затем боль спустилась ниже, сковав поясницу. Однако Миранда решила, что скорее умрет, чем еще раз прикоснется к этому негодяю. Боль стала почти невыносимой, когда они уже в сумерках выехали из леса на поляну у подножия горы, с которой только что спустились.

Несколько грузовичков-пикапов было припарковано между быстрым ручьем и пылающим лагерным костром. Вокруг суетились люди, очевидно, ожидая всадников. Один поприветствовал прибывших на незнакомом Миранде языке. Но ее это не удивило. Она не могла сосредоточиться ни на чем, кроме собственного неудобного положения. От усталости она почти теряла сознание. Происходящее стало казаться нереальным, как дурной сон.

Но сонный туман перед глазами Миранды мгновенно развеялся, едва незнакомец спешился, снял ее с седла и поставил рядом с собой. После продолжительной езды верхом ноги Миранды дрожали. Ей казалось, что коленки сейчас подогнутся и она рухнет на землю. Скотт прижался хрупким тельцем к ее ногам и обхватил их руками.

Встав на колени перед сыном, Миранда крепко обняла его и дала волю слезам. Пока оба они были живы и невредимы, и Миранда искренне радовалась этому. Чуть отстранив сына от себя, она внимательно его оглядела.

Очевидно, поездка ничуть не утомила мальчика: он выглядел как обычно, разве что глаза покраснели от слез. Миранда вновь прижала его к себе.

Но не прошло и нескольких минут, как на них упала длинная тень. Миранда подняла голову. Их похититель уже успел сбросить плащ, перчатки, ремень с кобурой и шляпу. Его прямые волосы были такими же чернильно-черными, как мрак, окружавший лагерь. Пляшущие тени от костра легли на лицо незнакомца, ничуть не смягчая его сурового выражения.

Но грозный вид этого человека не остановил Скотта. Прежде чем Миранда поняла, что задумал мальчик, он бросился на незнакомца и стал пинать его ножками в теннисных туфлях и колотить по сильным бедрам грязными стиснутыми кулачками.

— Не смей обижать маму! Ты плохой! Ненавижу тебя! Я убью тебя! Не трогай маму!

Пронзительный тонкий детский голос прорезал тихий ночной воздух. Миранда потянулась, чтобы оттащить Скотта, но незнакомец сделал предостерегающий жест рукой. Он терпел беспомощные наскоки Скотта, пока силы ребенка не иссякли и он не разразился потоком слез.

Незнакомец положил ладони ему на плечи.

— Ты очень смелый мальчик.

Низкий гортанный голос мгновенно успокоил Скотта. Серьезными, блестящими от слез глазами он уставился на незнакомца.

— Правда?

— Да, ты очень смелый — ты не побоялся сразиться с врагом, который гораздо сильнее тебя.

Остальные члены банды столпились вокруг, но мальчик ни на кого не обращал внимания. Главарь присел на корточки — так, что его лицо оказалось на уровне глаз Скотта.

— К тому же это очень хорошо, когда мужчина защищает маму, как это сделал ты.

Из ножен на поясе незнакомец вынул нож с коротким, но грозным на вид лезвием. Миранда коротко ахнула. Незнакомец подбросил нож в воздух так, что тот несколько раз перевернулся, ловко поймал его за лезвие и протянул Скотту костяной рукояткой вперед:

— Держи его при себе. Если я когда-нибудь попытаюсь обидеть твою маму, можешь ударить меня прямо в сердце.

С серьезным выражением на лице Скотт взял нож. Обычно, принимая подарки от посторонних людей, он спрашивал у матери разрешения, но на этот раз даже не оглянулся на нее. Второй раз за день ее сын послушался этого человека, не посоветовавшись сначала с ней. Это беспокоило Миранду не меньше, чем рискованное положение, в котором они оказались.

Неужели этот человек обладает какой-то сверхъестественной силой? Миранде пришлось признать, что его манеры и голос завораживают. Может, эти удивительные голубые глаза загипнотизировали ее сына? Тогда кто же спутники этого человека — его сообщники или ученики?

Она огляделась. Мужчины сняли повязки, и сразу стало ясно одно: все они индейцы. Длинные седые волосы человека, с которым ехал Скотт и которого незнакомец назвал Эрни, были заплетены в две косы, прежде спрятанные под шляпой, его маленькие темные глаза сидели глубоко на выразительном суровом лице. Однако в его облике не чувствовалось ничего угрожающего.

Он даже заулыбался, когда Скотт вежливо сообщил своему похитителю:

— Меня зовут Скотт Прайс.

— Рад познакомиться с тобой, Скотт. — Мужчина и мальчик обменялись рукопожатием. — А меня зовут Ястреб.

— Ястреб? Никогда не слышал такого имени. Ты ковбой?

Мужчины, окружившие их кольцом, с трудом сдерживали смех, но незнакомец ответил ему совершенно серьезно:

— Нет, я не ковбой.

— Но ты одет как ковбой. У тебя револьвер.

— Так я одеваюсь не всегда, только сегодня. Вообще-то я механик.

Скотт почесал чумазую щеку, на которой слезы промыли светлые дорожки.

— Как на поезде?

— Нет, не совсем. Я механик на руднике.

— Я не знаю, что это такое.

— Это сложно объяснить.

— Ясно... Можно я схожу в туалет?

— Здесь нет туалета. Самое лучшее, что мы можем предложить, — кустики.

— Сойдет! Иногда мама тоже разрешает мне сходить в кустики — на пикниках, в лесу. — Мальчик согласился довольно охотно, но настороженно оглянулся на стену мрака, кольцом окружившую лагерный костер.

— Эрни пойдет с тобой, — поспешил успокоить его Ястреб и поднялся, пожав плечо мальчика. — А когда вернешься, он даст тебе попить.

— Ладно. А еще я хочу есть.

Эрни шагнул вперед и протянул мальчику руку, за которую тот ухватился без колебаний. Повернувшись, они двинулись в темноту. Миранда шагнула вслед за сыном, но человек по имени Ястреб преградил ей путь.

— Куда это вы собрались?

— За сыном.

— Без вас вашему сыну будет гораздо лучше.

— Отойдите с дороги!

Вместо этого Ястреб схватил ее за плечи и заставил попятиться, пока Миранда не уперлась спиной в бугристый ствол сосны. Шагнув вперед, Ястреб пригвоздил ее к дереву собственным телом. Искрящиеся голубые глаза прошлись по ее лицу, шее, груди...

— Похоже, ваш сын считает, что за вас стоит бороться. — Ястреб нагнул голову, приблизившись к Миранде вплотную. — Это правда?

го губы оказались твердыми, а язык — мягким и шелковистым. Ласкающими движениями он поглаживал сжатые губы Миранды. Так и не дождавшись, что она приоткроет рот, Ястреб отстранился и посмотрел ей в глаза. Вызывающее выражение лица Миранды скорее насмешило его, нежели рассердило.

— Нет, так легко вы не отделаетесь, миссис Прайс. Вы умышленно раздули во мне этот огонь, так что приготовьтесь тушить его. — Обхватив сильными ладонями ее щеки, он требовательным движением языка заставил ее приоткрыть рот.

Миранда со всей силой уперлась кулаками в его мускулистую грудь, но Ястреб не шелохнулся. Он подверг ее самому глубокому, интимному, жадному поцелую, какой она когда-либо испытывала, и ей не оставалось ничего другого, кроме как покориться. Миранда ни на секунду не забывала про Скотта. Если похититель склонен к насилию, пусть уж лучше его гнев обратится на нее, чем на сына.

Но капитулировать безоговорочно Миранда не собиралась. Она извивалась, пытаясь удержать хоть какую-нибудь дистанцию. Однако Ястреб, похоже, знал самые нежные и уязвимые местечки ее тела и намеренно прикасался к ним, продолжая описывать языком ласкающие круги во рту Миранды.

Наконец ей удалось высвободить губы.

— Пустите меня! — низким охрипшим голосом приказала она, опасаясь, что Скотт заметит их и бросится через всю поляну, потрясая ножом, подаренным этим варваром.

— А если я не послушаюсь? — издевательски осведомился он, зажав прядь волос Миранды между пальцами и проводя ею по своим строго сжатым, но соблазнительно влажным губам.

— В таком случае я отберу нож у Скотта и сама убью вас.

Улыбка не смягчила суровость его лица, из груди вырвалось подобие рокочущего смешка.

— За то, что я украл один поцелуй? Он был неплох, но вряд ли стоит смерти.

— Я не напрашивалась на вашу оценку.

— Если вам не по вкусу мои поцелуи, советую впредь отказаться от мысли испробовать на мне свои женские чары. — Он провел ладонью вниз по шее Миранды, накрыл грудь и слегка сжал ее. — В любом случае они не помешают мне выполнить задуманное.

Миранда резким движением отбросила его ладонь. Ястреб сделал шаг назад, но Миранда сразу поняла: ее желания тут ни при чем — он поступил, как счел нужным.

— Что же вы задумали?

— Вынудить правительство вновь открыть рудник «Одинокая пума».

Этот ответ оказался настолько неожиданным для Миранды, что она растерянно заморгала и облизнула губы. У нее мелькнула мысль, что она все еще чувствует вкус поцелуя, вкус этого человека. Но замешательство оказалось сильнее всех других мыслей.

— Вновь открыть что?

— Серебряный рудник «Одинокая пума». Слышали о нем? — Миранда покачала головой. — Неудивительно. Он имеет значение лишь для людей, которые зарабатывают себе на жизнь благодаря ему. Для моего народа.

— Вашего народа? Индейцев?

— Вы на редкость догадливы, — саркастически отозвался Ястреб. — Что же выдало меня? Моя глупость или лень?

Миранда ни словом, ни делом не дала ему повода обвинять ее в расизме. Вывернутый наизнанку снобизм Ястреба был ничем не оправдан, и Миранда вспылила.

— Ваши голубые глаза, — съязвила она.

— Генетическая ошибка.

— Послушайте, мистер Ястреб, я...

— Мистер О'Тул. Ястреб О'Тул.

Миранда вновь заморгала в замешательстве.

— Еще одна причуда судьбы, — безразлично пожав плечами, добавил он.

— Кто вы, мистер О'Тул? — мягко спросила Миранда. — Чего вы хотите от Скотта и от меня?

— На протяжении жизни нескольких поколений мой народ работал на руднике «Одинокая пума». Эта резервация обширна. У нас есть и другие статьи доходов, но в основном наше благосостояние зависит от работы рудника. Не стану докучать вам подробностями, но нас обманным путем лишили права владеть рудником.

— Кому же он принадлежит сейчас?

— Группе инвесторов. Они решили, что в экономическом отношении продолжать работы на руднике невыгодно, и потому закрыли его. Вот так. — Он щелкнул пальцами в нескольких дюймах от носа Миранды. — Без единого предупреждения сотни семей лишились средств к существованию. И теперь никому нет до них дела.

— Но какое отношение все это имеет ко мне?

— Ни малейшего.

— Тогда почему же я здесь?

— Я уже говорил, вас прихватили с собой только потому, что вы подняли шум.

— Значит, вы остановили поезд, чтобы похитить Скотта?

— Да.

— Но почему?

— А вы как думаете?

— Очевидно, чтобы держать его в заложниках.

Ястреб решительно кивнул:

— Мы потребуем за него выкуп.

— Деньги?

— Не совсем так.

Внезапно Миранду осенило.

— Мортон... — прошептала она.

— Вот именно. Ваш муж. Ему придется заставить законодателей прислушаться к его словам, если у банды диких индейцев в заложниках окажется его сын.

— Он мне больше не муж.

Взгляд голубых глаз язвительно прошелся по ней.

— Да, я читал о вашем омерзительном разводе в газетах. Член палаты представителей Прайс потребовал развода потому, что вы были неверны ему. — Ястреб вновь оттеснил Миранду к дереву, многозначительно касаясь ее своим телом. — Судя по тому, как вы прижимались ко мне по дороге сюда, я могу сделать вывод, что для него большая удача — отделаться от такой жены.

— Держите свое мнение при себе!

— Знаете, — продолжал Ястреб, протянув руку и проведя указательным пальцем по щеке Миранды, — для заложницы вы чертовски высокомерны и несговорчивы.

Она отдернула голову, избегая его прикосновений.

— А вы попросту глупы. Мортон и пальцем не шевельнет, чтобы спасти меня.

— Несомненно. Но у нас оказался его сын.

— Мортон знает: Скотт в безопасности, пока рядом с ним я.

— Тогда, пожалуй, вас придется разлучить. Или отправить вас обратно, а мальчика оставить у себя. — Ястреб внимательно следил за реакцией Миранды. — Даже в полутьме видно, как вы перепугались. Если не хотите, чтобы я отнял у вас сына, вы будете делать то, что вам прикажут.

— Прошу вас, не трогайте Скотта! — дрогнувшим голосом взмолилась Миранда. — Не разлучайте нас! Скотт еще слишком мал. Он испугается, если меня не будет рядом.

— Я не собираюсь причинять вред ни вам, ни Скотту. Пока, — угрожающе добавил Ястреб. — Как я и говорил с самого начала. Вы поняли меня, миссис Прайс?

Смирение было ненавистно Миранде, но в настоящий момент проявлять свой характер было бы слишком неблагоразумно. Она кивнула.

Ястреб отступил и мотнул головой, приказывая ей следовать впереди него к костру. Оглянувшись через плечо, Миранда спросила:

— Вы не боитесь, что костер заметят? Сейчас нас наверняка уже ищут.

— Поскольку это вполне вероятно, мы приняли меры.

Проследив направление взгляда Ястреба, Миранда увидела, что коней уже успели расседлать и теперь заводили в длинный трейлер.

— Мы уничтожим следы копыт и шин трейлера. Если кто-нибудь наткнется на нас ночью, то найдет лишь компанию пьяных индейцев-рыбаков, неспособных удержать собственные штаны, не то что остановить поезд с туристами.

— А если я закричу изо всех сил, позову на помощь? — злорадно спросила Миранда.

— Мы приняли меры и на этот случай.

— Какие же?

— Запаслись хлороформом.

— Вы хотите усыпить нас?

— Если понадобится, — бесцеремонно сообщил Ястреб. Он отошел в сторону и стал руководить погрузкой, явно торопясь отправить трейлер.

Миранда вспыхнула, увидев, как пренебрежительно он отвернулся, считая ее, очевидно, не более чем помехой и уж никак не угрозой. Уязвленная подобным отношением, она отправилась на поиски Скотта и вскоре увидела его с тарелкой консервированных бобов и ветчины.

— Мама, так вкусно!

— Я рада, что тебе нравится. — Миранда нервозно взглянула на Эрни, который сидел рядом с ее сыном, скрестив ноги. Поколебавшись, она опустилась рядом на поваленное дерево.

— Хотите перекусить? — спросил у нее индеец.

— Нет, благодарю вас. Я не голодна.

В ответ он пожал плечами, продолжая есть.

— Знаешь, мама, Эрни сказал, что завтра я опять поеду на лошади — только сам, если буду как следует держаться. Он сказал, что его сын научит меня ездить верхом. Я поеду к Эрни в гости. У него нет видика, но это ничего — зато есть лошади. И козы. Я не боюсь коз, правда? Эрни сказал, что они не кусаются, только иногда жуют одежду.

Миранде хотелось прикрикнуть на сына, напомнить ему, в какой опасности они оказались, но она вовремя спохватилась. Скотт еще ребенок. Его невинность может стать ему защитой в самом опасном положении. Ястреб О'Тул не угрожал ни ей, ни Скотту физическим насилием или смертью. Казалось, он уверен, что Мортон благосклонно отнесется к его требованиям. Миранда не осмелилась думать о том, что станет с ней или со Скоттом, если Мортон откажет Ястребу наотрез.

Вскоре нагруженный лошадьми трейлер прокатился по поляне и скрылся на проселочной дороге. С помощью одеял мужчины принялись заметать следы конских копыт и шин трейлера, пока на поляне не остались только следы пикапов, стоящих неподалеку.

Сделав по несколько глотков дешевого виски, индейцы обрызгали спиртным одежду. На поляне запахло, как в заведении сомнительной репутации. Индейцы шутливо подражали заплетающейся походке и невнятной речи пьяных. После ужина все расселись вокруг костра, завели дружескую беседу и закурили, а вскоре после этого начали готовиться ко сну. Ни внешность, ни поведение этих людей не давали повода заподозрить в них бандитов, не далее как сегодня днем напавших на поезд и укравших ребенка.

Когда Ястреб подошел к Скотту и Миранде, мальчик уже дремал, привалившись к плечу матери.

— Он устал, — с вызовом произнесла Миранда, вынужденная запрокинуть голову и смотреть снизу вверх на высокую, гибкую фигуру Ястреба. — Где мы будем спать?

— В машине. — Ястреб указал на один из пикапов и протянул руку, чтобы помочь Миранде подняться.

Грубо отказавшись от его помощи, она встала сама. Ястреб наклонился и подхватил Скотта на руки.

— Я сама понесу его, — торопливо заявила Миранда.

— Справлюсь и без вас.

Широкими шагами он преодолел расстояние до машины гораздо быстрее, чем Миранда, и успел уложить мальчика в спальный мешок в кузове, прежде чем Миранда догнала их.

— Теперь можно помолиться на ночь? — спросил Скотт, широко зевая.

— По-моему, ты уже засыпаешь. Помолись про себя.

— Ладно, — пробормотал мальчик. — Мама, смотри, сколько звезд!

Запрокинув голову, Миранда изумилась, увидев бархатно-черное небо, усыпанное бриллиантами звезд. Они выглядели огромными и висели так низко, что до них, казалось, можно дотянуться рукой.

— Красиво, правда?

— Ага. Я знаю — там живет бог. Спокойной ночи, мама. Спокойной ночи, Ястреб.

Скотт перевернулся на бок, подтянул коленки к груди и мгновенно уснул. Едва сдерживая подступившие к глазам слезы, Миранда натянула края спального мешка на плечи ребенка и подоткнула под подбородок. Обернувшись, она решительно уставилась на Ястреба. В ее сверкающих от гнева глазах горел вызов.

— Если с ним хоть что-нибудь случится, я убью вас.

— Это вы уже говорили. А я сказал, что в мои намерения не входит причинять ему вред.

— Тогда к чему же все это? — воскликнула Миранда, широко разводя руками. — Что вы предъявите его отцу?

— С ним все будет в порядке, — негромко отозвался Ястреб, — но, возможно, мальчик больше никогда не вернется домой. Если ваш бывший муж не согласится на наши требования, Скотт навсегда останется у нас.

Издав яростный возглас, Миранда бросилась к нему. Ей удалось царапнуть щеку Ястреба, на которой тут же выступила кровь. Но ее торжество длилось недолго. Ястреб схватил ее за руку, заломил за спину и потянул вверх так, что кисть оказалась между лопатками. Боль была невыносимой, но Миранда не издала ни звука, крепко стиснув зубы. Шум борьбы привлек внимание остальных индейцев. Они появились из темноты, ожидая приказов главаря.

— Все в порядке, — объявил Ястреб, внезапно отпустив Миранду. — Просто миссис Прайс недолюбливает меня.

— Ты уверен? — со смехом переспросил Эрни. Он добавил что-то на родном языке, и все мужчины вокруг покатились со смеху.

Ястреб искоса взглянул на Миранду, подхватил с земли одеяло и бесцеремонно швырнул ей:

— Забирайтесь в машину и укройтесь вот этим.

Уязвленная гордость Миранды ныла, как ее рука... и саднящие от долгой поездки в седле бедра и ягодицы. Она неуклюже забралась в машину и завернулась в одеяло. Пока она устраивалась поудобнее, Эрни отпустил еще одно замечание, вызвавшее новый взрыв громкого мужского хохота.

Не сомневаясь, что Эрни сказал какую-то грубость в ее адрес, Миранда улеглась рядом со Скоттом и закрыла глаза. Она слышала, как мужчины забираются в спальные мешки и укладываются вокруг костра. Очевидно, ей следовало радоваться, что стенки кузова отделяют ее и Скотта от ночных хищников, которые, возможно, водятся здесь, но побитый металл днища представлял собой не особенно уютное ложе. Миранда завозилась под одеялом, тщетно стараясь улечься поудобнее.

— Спальных мешков у нас на всех не хватает.

Миранда испуганно открыла глаза и с тревогой увидела, что Ястреб стоит рядом с машиной, наблюдая за ней. Он успел стереть кровь с лица, но царапины были еще видны.

— Я уже поняла, что спальных мешков для скво у вас нет, — уточнила Миранда.

— Для заложников, на которых мы не рассчитывали, — поправил ее Ястреб.

— Что он сказал?

40

— Кто? Эрни? — Ястреб перевел взгляд на грудь Миранды. — Если вкратце, то он сказал, что либо я вам понравился, либо вы замерзли.

Шорты и блузка, надетые Мирандой утром, подходили для солнечного летнего дня в предгорьях, а не для прохладного вечера в горах. На руках и ногах появилась гусиная кожа, но Ястреб имел в виду совсем другое: соски Миранды отчетливо вырисовывались под блузкой. Горячая волна окатила ее, моментально согрев, но соски, привлекшие внимание Ястреба, по-прежнему казались набухшими.

— По-моему, верным будет второе предположение. — Протянув руку, он провел костяшками пальцев по чувствительному бутону. — Но если я ошибаюсь, буду рад чем-нибудь вам помочь. — Голос Ястреба казался таким же грубым, как кора сосны, к которой он прижимал Миранду раньше, и вместе с тем — нежным, как ветер, перебирающий хвою на верхних ветках. Миранда отпрянула, избегая возбуждающего прикосновения.

— Что еще он сказал? — выговорила она непослушными губами.

Ястреб отдернул руку, продолжая гипнотизировать ее взглядом.

— Что спать сегодня мне будет гораздо теплее. Но с другой стороны, — добавил он, поглаживая оцарапанную щеку, — возможно, мне вообще не удастся заснуть.

Миранда метнула в его сторону убийственный взгляд и натянула одеяло до подбородка, закрыв глаза, чтобы не видеть его ироничной усмешки. Прошло немало времени, прежде чем она вновь открыла глаза. Оказалось, что Ястреб ушел, хотя она не слышала ни единого звука, не уловила даже движения воздуха. Интересно, как долго Ястреб простоял рядом, глядя на нее, прежде чем наконец исчез в темноте?

Она прислушалась, но сумела различить лишь потрескивание горящих веток в костре и ровное, негромкое посапывание Скотта. Этот привычный милый звук несколько успокоил ее. Каким-то чудом ей удалось заснуть.

3

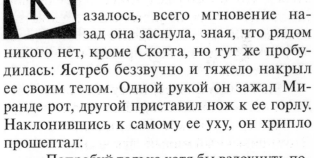

Казалось, всего мгновение назад она заснула, зная, что рядом никого нет, кроме Скотта, но тут же пробудилась: Ястреб беззвучно и тяжело накрыл ее своим телом. Одной рукой он зажал Миранде рот, другой приставил нож к ее горлу. Наклонившись к самому ее уху, он хрипло прошептал:

— Попробуй только хотя бы вздохнуть погромче, и я убью тебя.

Миранда мгновенно ему поверила.

В темноте глаза Ястреба светились ледяным бесчувственным огнем. Миранда слегка кивнула, показывая, что поняла его. Но Ястреб не убрал руку с ее губ.

Причина таких действий Ястреба стала очевидной несколько секунд спустя, когда Миранда услышала шум машины, подъехавшей к лагерю по ухабистой грунтовой дороге. Два луча света скользнули по деревьям, окружавшим поляну. Водитель затормозил, подняв клубы пыли. Дверцы машины распахнулись.

— Всем встать! Руки вверх!

Отрывистый повелительный приказ ошеломил Миранду. Широко раскрыв глаза, она уставилась на Ястреба. Он выбранился, едва шевеля губами, боясь, как и Миранда, одного — что громкие голоса разбудят Скотта.

Миранда лихорадочно молилась, чтобы мальчик не проснулся. Если шум разбудит его и он заплачет, неизвестно, что может случиться. Его может задеть шальная пуля во время перестрелки между похитителями и спасителями. Или же Ястреб поймет, что потерпел неудачу, и, поскольку терять ему будет уже нечего, прибегнет к самоубийству, заодно прикончив и заложников.

Миранда смотрела на мужчину, лежащего на ней. Неужели он способен хладнокровно убить ребенка? Сосредоточившись на суровых, жестких очертаниях рта индейца, она пришла к самому неутешительному выводу.

«Скотт, пожалуйста, не просыпайся!» — молила она про себя.

— Кто вы такие и что здесь делаете?

Очевидно, Ястреб подбирал себе сообщников по актерским способностям. Они умело притворялись подвыпившими, разбуженными внезапно, хотя Миранда знала: если приближение машины насторожило Ястреба, то, вероятно, и остальные не спали. Казалось, внезапное появление и резкий допрос полиции ошеломили и перепугали их. На каждый

44

вопрос индейцы отвечали бессмысленным бормотанием. В конце концов блюстители закона потеряли терпение.

— О господи! Да ведь это всего-навсего пьяные индейцы! — заявил один другому. — Мы зря теряем время.

Миранда всем телом почувствовала, как Ястреб содрогнулся от ярости.

— Вы видели сегодня каких-нибудь всадников? Шестерых или семерых? — допытывался один из полицейских. — Они должны были появиться вон с той стороны.

Индейцы перебросились несколькими словами на родном языке, прежде чем один из них ответил: нет, они не видели никаких всадников.

Один из полицейских тяжко вздохнул.

— И на том спасибо. Держите ухо востро, ладно? И сообщите нам, если заметите что-нибудь подозрительное.

— А кого вы ищете?

Миранда узнала голос Эрни, прозвучавший неестественно робко и униженно.

— Женщину с мальчиком. Банда всадников похитила их сегодня из экскурсионного поезда.

— Как они выглядели, эти всадники? — допытывался Эрни. — Кого нам надо замечать?

— У всех бандитов лица были закрыты повязками. Судя по словам пассажиров, банда действовала слаженно и умело. Главарь ограбил одного из пассажиров, вырвал у того деньги прямо из рук. Нам говорили, что женщина дралась как тигрица, чтобы отбить ребенка, когда его вытащили из вагона. Тогда главарь схватил ее. Впрочем, в этом его трудно винить, — с сальным смешком добавил полицейский. — Нам передали фотографию для опознания. Она милашка, зеленоглазая блондинка.

Ястреб посмотрел на Миранду, она отвела взгляд.

Наконец прощание завершилось. Послышался звук захлопнувшейся дверцы машины. По поляне вновь метнулся свет фар. Поднялась пыль и осела в гнетущей тишине. Вскоре и шум мотора стих вдалеке.

— Ястреб, они уехали.

Ястреб убрал ладонь со рта Миранды, но не приподнялся, глядя на ее губы. Они побелели и сжались. Ястреб провел по ним пальцем, словно хотел вернуть им прежний цвет.

— Ястреб!

— Слышу, слышу, — нетерпеливо откликнулся он.

Несколько секунд возле тлеющего костра царило напряженное молчание, но постепенно индейцы успокаивались, начинали переговариваться и шевелиться. Затем вновь наступила тишина. Но Ястреб не сдвинулся с места.

Он убрал нож от горла Миранды. Острое как бритва лезвие сверкнуло в лунном свете.

— Вы могли бы убить меня! — прошипела она.

— Если бы вы выдали нас — да.

— А как же Скотт? Вы убили бы и его, если бы он проснулся и заплакал?

— Нет. Он ни в чем не виноват. — Ястреб чуть изменил положение и просунул колено между ногами Миранды, заставляя раздвинуть их. — Но всем в штате известно: вы вовсе не недотрога. Вы же слышали — этот человек назвал вас милашкой. Сколько мужчин вы соблазнили, прежде чем измены наконец надоели мужу и он вас выгнал?

— Слезьте с меня немедленно!

Ястреб прищурился.

— А я думал, вам это нравится.

— Нет, не нравится, как и вы сами. Вы — грабитель, похититель детей и...

— Я никого не грабил.

— Вы забрали деньги у пассажира поезда, угрожая ему оружием.

— Он сам предложил их, разве вы забыли? Я ничего не крал.

— И тем не менее вы их потратите.

— Чертовски верно, — согласился Ястреб. — Я сочту их даром от имущих неимущим.

— О, довольно! Кем вы себя считаете? Робин Гудом двадцатого века? Заблуждаетесь: вы самый обыкновенный преступник.

Намереваясь столкнуть Ястреба, Миранда схватила его за плечи, но тут же поняла, что допустила ошибку. Плечи были обнаженными и гладкими, как и грудь; под бронзовой упругой кожей перекатывались сильные, твердые мышцы.

Борясь с желанием провести ладонями по этой груди, Миранда снова попыталась оттолкнуть Ястреба. Но он словно этого и не заметил. Легко скользнув губами по ее губам, он погрузил руку в ее волосы, пропуская их сквозь пальцы. Миранда застыла. Крепкими белыми зубами Ястреб прихватил мочку ее уха и принялся дразнить ее языком.

— Не надо, — задыхаясь, пробормотала она.

— Почему? Вас это возбуждает? Должно быть, с индейцем у вас такое в первый раз, миссис Прайс?

Миранда не могла придумать оскорбления, достойного этого негодяя.

— Если бы не Скотт, я бы... — зашипела она.

— И что бы вы сделали? Сдались? Соблазнили бы меня прямо здесь? Неужели вас беспокоит спящий рядом сын? Или наоборот — это возбуждает еще больше? Может, потому вы и сопротивляетесь?

— Нет! Прекратите немедленно!

— А, понятно: это неотъемлемая часть сюжета «любовь с дикарем». Вы сопротивляетесь, а я беру вас силой. Кажется, так играют в эту игру?

— Не надо, прошу вас! Пожалуйста!

— Неплохо, совсем неплохо. Можете потом рассказывать всем подружкам, что я овладел вами силой. Это оживит салонный разговор.

Он провел по губам Миранды языком, и она невольно сжала руки на его плечах и круто выгнула спину, прижимаясь к нему.

— Как тепло! — пробормотал он, почувствовав жар, исходящий из местечка, где сливались ее бедра. — Ручаюсь, что и влажно.

Он быстро поцеловал ее, резким и чувственным движением погрузив язык глубоко в ее рот, одновременно ритмично потираясь бедрами о низ живота Миранды.

— Ястреб!

Вскинув голову, он злобно выругался.

— Ну что там?

— Ты просил разбудить тебя на рассвете, — послышался голос Эрни из темноты, уже начинающей приобретать оттенки серого цвета. Голос звучал виновато.

Поднимаясь, Ястреб не сводил глаз с Миранды. Нависнув над ней, он окинул взглядом спутанные волосы, припухшие от поцелуя губы, раздвинутые ноги.

— В газетах пишут правильно, миссис Прайс: вы — шлюха. Хорошо, что мы решили похитить Скотта. За вас никто не даст и ломаного гроша.

Перебравшись через борт машины, он пошел прочь, подтягивая джинсы. Слезы негодования и обиды обожгли глаза Миранды. Порывистым движением она смахнула их и попыталась уголком колючего шерстяного одеяла стереть с губ привкус поцелуев Ястреба О'Тула.

Но избавиться от этого привкуса ей так и не удалось.

* * *

— Просыпайтесь, Рэнди. Мы приехали.

Кто-то с силой встряхнул Миранду за плечо. Во сне она прислонилась к окну пикапа со стороны пассажирского сиденья и теперь испуганно вскинула голову. От неудобной позы у нее затекла шея. Миранда повертела головой, стараясь размять онемевшие мышцы.

Заморгав, она взглянула на мужчину, сидящего за рулем, и вдруг поняла: в машине они остались вдвоем. В тревоге выкрикнув: «Скотт!», она потянулась к дверной ручке, но Ястреб перехватил ее руку и сжал запястье прежде, чем Миранда успела вылететь из машины.

— Успокойтесь. Он с Эрни, вон там.

Ястреб кивнул на лобовое стекло, усеянное останками разбившихся насекомых.

Скотт семенил за Эрни, как доверчивый щенок. Они направлялись по тропе к домику на колесах.

— Скотт попросился в туалет, и я отпустил его. — Ястреб развернул газету и провел ладонью по странице. — Вы попали на первую полосу, Рэнди.

— Почему вы так назвали меня?

— Так вас называют в газетах. Почему вы сами не сказали мне, как к вам обращаться?

— Вы не спрашивали.

— Так звал вас муж?

— Нет, я привыкла к уменьшительному имени с детства.

— А я думал, это прозвище, которое вы приобрели благодаря своей репутации[1].

Миранда не ответила на колкость, просматривая заголовки в газете. История похищения была записана со слов свидетелей. Разобрав баррикаду на рельсах с помощью нескольких пассажиров, машинист довел поезд до станции, по пути сообщив о случившемся в полицию. Сотрудники ФБР вместе с представителями местной полиции встретили поезд на станции. Очевидно, при встрече присутствовали и журналисты.

— Ваш бывший супруг ждал поезд на станции. Он был ошеломлен.

Фотография на первой полосе сразу бросалась в глаза. Член палаты представителей Мортон Прайс крупным планом. На снимке было видно, что его привлекательное лицо

---

[1] Р э н д и – сексуально возбужденный (*англ.*). (*Прим. пер.*)

скривилось в гримасе боли. В статье цитировалось заявление Прайса: «Я сделаю все возможное, лишь бы вернуть моего сына. И Рэнди, конечно, тоже».

Миранда горько рассмеялась:

— Он не изменил своим привычкам.

— То есть?

— Он выдаивает из рекламы всю пользу — до последней капли. И, как обычно, вспоминает обо мне в последнюю очередь.

— Вы ждете от меня сочувствия?

Миранда искоса взглянула на него.

— Я не жду от вас ничего, кроме поступков, достойных ублюдка. До сих пор вы не разочаровали меня, мистер О'Тул.

— И не собираюсь разочаровывать впредь. — Открыв дверцу, Ястреб вышел. Дождавшись, когда Рэнди обойдет машину и окажется рядом с ним, он сделал приглашающий жест рукой: — Добро пожаловать!

Миранда огляделась. Они находились в индейской деревне. Вместо домов здесь стояли преимущественно трейлеры, но было и несколько постоянных жилищ из кирпича-сырца или бревен.

Главная улица выглядела пустынной. Неподалеку виднелось строение, служившее бензозаправкой, бакалейной лавкой и почтой одновременно, но и возле него было безлюдно. Еще одно здание можно было принять за школу, если бы не запертые двери. Больше рассматривать тут было нечего. Взгляд Рэнди устремился на каменистую дорогу, вьющуюся по склону холма и исчезающую за гребнем.

— Там рудник? — спросила Рэнди, кивая.

— Да. — Ястреб смерил ее вызывающе-презрительным взглядом. — Что? Не нравится? Что же, этот городок не из тех, к которым вы привыкли.

Рэнди предпочла не поднимать брошенную перчатку.

— Мое мнение о вашем городе значительно улучшится, если вы покажете мне, где здесь ванная.

— Надеюсь, Лита предоставит вам свою ванную.

— Лита? — переспросила Миранда, шагая рядом с ним.

— Жена Эрни. Кстати, о возможности позвонить можете забыть. У них нет телефона.

Рэнди стала высматривать телефонную будку, но не заметила ни одной. Это привело ее в такое же раздражение, как способность Ястреба читать ее мысли.

Привязанный к колышку козел наблюдал, как они пересекли пыльный двор и поднялись по бетонным ступенькам. Ястреб стукнул в дверь домика на колесах, помедлил и толкнул ее. От кухонных ароматов у Рэнди заурчало в желудке. Едва привыкнув к сумрачному свету в комнате, она заметила собственного сына, сидящего за столом. С прискорбным пренебрежением к правилам хорошего тона он запихивал в рот еду, хватая ее со стоящей перед ним тарелки.

— Привет, мама! Ты видела Джеронимо? Так зовут козла. А это Донни, мой новый друг. Ему целых семь лет! Это Лита.

Рэнди кивала, пока Скотт представлял ей новых знакомых. Донни робко потупился. Увидев царапины на щеке Ястреба, Лита принялась разглядывать Рэнди с беззастенчивым любопытством. Рэнди была потрясена, увидев, что жена Эрни не только гораздо моложе своего мужа, но даже моложе ее самой.

— Не хотите перекусить? — спросила Лита. — Кроме вчерашнего мяса, у нас ничего нет, но...

— Да, пожалуйста, — мило улыбнулась ей Рэнди.

Лита перестала нервно сжимать пальцы и ответила на улыбку.

— Я уверен, что миссис Прайс голодна, — вмешался Ястреб, перекидывая длинную ногу через сиденье стула и устраиваясь на нем лицом к спинке. — Должно быть, она ждала на завтрак вяленого бизона и испеченные на костре лепешки. А когда мы предложили ей яйца и оладьи, она не пожелала даже взглянуть на них.

Эрни усмехнулся. На лице Литы появилось растерянное выражение. Не обращая внимания на Эрни, Рэнди спросила у его жены:

— Можно воспользоваться вашей ванной?

— Да, конечно. Это там, дальше по коридору.

Ястреб вскочил.

— Я провожу ее.

Рэнди вышла из кухни в узкий коридор, ведущий в глубину дома. Ястреб опередил ее, открыл дверь ванной, шагнул на порог и бегло осмотрел кабинку.

— Что вы надеялись здесь найти?

— Окно, через которое вы попытаетесь удрать.

Издав нетерпеливый возглас, Миранда попробовала обойти Ястреба. Он не шелохнулся.

— Пойдете со мной? — любезно осведомилась Рэнди.

— Это ни к чему. Я подожду за дверью.

Рэнди подбоченилась.

— Может быть, хотите обыскать меня?

Ясные глаза Ястреба пробежали вверх и вниз по ее телу.

— Пожалуй, придется.

Он слегка толкнул ее в плечо. Рэнди пошатнулась и уперлась спиной в стену. Прежде чем она сумела вывернуться, ладони Ястреба скользнули под ее блузку, прошлись по кружевным чашечкам лифчика, быстро и осторожно сжимая груди. Затем обе ладони перешли на спину Рэнди и заскользили сверху вниз. Наконец, расстегнув ремень шорт, Ястреб провел рукой по животу Рэнди, бедрам и сжал ягодицы.

— Здесь только то, чему положено быть, — спокойно заявил он, убирая руки. Рэнди была слишком ошарашена, чтобы ответить, и потому уставилась на Ястреба, затаив дыхание. Она побледнела, хотя сердце бешено колотилось.

— Даже не пытайтесь обмануть меня, — негромко предупредил Ястреб. — Не надейтесь. Я разгадаю любую уловку. — Он слегка подтолкнул Рэнди и закрыл дверь.

Она прислонилась к двери и перевела дух. Ее трясло. Наконец, подойдя к раковине, она отвернула краны и, набрав несколько пригоршней воды, плеснула в разгоряченное лицо. Насухо вытерев его, она посмотрела на себя в зеркало.

Зрелище было весьма печальное. Ее волосы растрепались, в них запутались иголки и листья. Одежда была перепачкана. Остатки макияжа двадцатичетырехчасовой давности довершали впечатление.

— Сногсшибательно, — сухо заключила Рэнди, а затем, вспомнив, что при похищении ее действительно сбили с ног, нахмурилась.

Взяв кусок мыла, она усердно принялась смывать напрочь испорченный макияж. Зубы почистила пальцем. Тщательно выбрав лесной мусор из волос, попыталась пальцами привести в порядок упрямые пряди. Наконец, отряхнув одежду, она вышла из ванной.

Ястреб вовсе не ждал ее за дверью. Он сидел за столом на кухне, потягивая пиво и негромко болтая с Эрни. Он подверг ее обыску только для того, чтобы унизить, а не потому, что опасался бегства. Заметив, что Рэнди стоит на пороге, мужчины разом замолчали.

— Где Скотт?

— Во дворе.

Рэнди выглянула в окно. Скотт опасливо гладил Джеронимо, а Донни подбадривал нового друга, уговаривая его не бояться. Убедившись, что сыну не угрожает опасность, Рэнди повернулась к столу и уселась на предложенный Литой стул. Была середина дня, непривычное время для еды. Сегодня утром завтрак ей предложили сразу же после выезда с поляны, но она отказалась, на ленч они не останавливались, и потому сейчас Рэнди моментально опустошила поставленную перед ней тарелку. Поданный вслед за едой кофе оказался крепким, горячим и бодрящим.

Отпив глоток, Рэнди взглянула через стол на Ястреба и спросила напрямик:

— Как вы намерены поступить с нами?

— Держать вас в заложниках, пока ваш муж — то есть бывший муж — не получит от губернатора гарантии, что рудник будет открыт вновь.

— Но для этого потребуются месяцы переговоров! — в тревоге воскликнула Рэнди.

Ястреб пожал плечами:

— Вполне возможно.

— Через несколько недель Скотт должен идти в школу.

— Школе придется начать занятия без него. Значит, вы не уверены в возможностях собственного мужа?

— Почему бы вам просто не попросить денег, как заурядному похитителю?

Ястреб помрачнел. Эрни прокашлялся и уставился на свои руки. Лита заерзала на стуле.

— Если бы нам была нужна милостыня, миссис Прайс, — холодно произнес Ястреб, — мы давно жили бы без особых забот.

Рэнди мысленно выругала себя за необдуманную вспышку. Она поняла, что задела гордость Ястреба. В отличие от необычных голубых глаз, его гордость соответствовала его индейскому происхождению.

Она постаралась взять себя в руки и успокоиться.

— Не понимаю, как вы надеетесь добиться своего, мистер О'Тул. Переговоры с любым правительством — утомительное и долгое занятие. Вероятно, встреча Мортона с губернатором будет назначена только через несколько недель.

Ястреб хлестнул по столу свернутой газетой.

— Мы надеемся, что поможет вот это! Ваш муж начинает предвыборную кампанию. Его имя уже у всех на слуху. Похищение сына сделает его знаменитостью. Одного давления со стороны общественности хватит, чтобы губернатор Адамс удовлетворил наши требования.

— Очевидно, вы все тщательно продумали. Но как вы узнали, что мы со Скоттом будем в экскурсионном поезде?

Едва договорив, она мгновенно почувствовала, что невинный на первый взгляд вопрос попал в самую точку. Эрни и Лита растерянно взглянули на Ястреба, который вскоре оправился от минутного замешательства и спокойно сказал:

— Знать подобные вещи — обязанность любого уважающего себя похитителя.

Он успешно ушел от ответа на вопрос, и Рэнди поняла: большего ей не добиться.

— Как вы собираетесь связаться с Мортоном?

— Мы начнем вот с этого письма. — Ястреб вытащил из кармана рубашки свернутый листок. — Завтра один из нас бросит его в почтовый ящик у офиса Мортона.

Рэнди прочла письмо, вернее, записку. Текст был составлен из вырезанных из журнала букв, прямо как в детективных сериалах. Мортона извещали, что его сына Скотта держат в заложниках и что завтра с ним свяжутся по поводу условий выкупа.

— Свяжутся? По телефону? — переспросила Рэнди.

— Да, по рабочему телефону.

— Линию могут прослушивать. Полиция запросто определит, откуда был сделан звонок.

— Звонки, — поправил Ястреб. — Каждый продолжительностью в одну фразу. За такое короткое время засечь нас не удастся. Кроме того, звонки будут сделаны из нескольких западных штатов.

Рэнди приподняла бровь:

— Примите мои поздравления.

— Другие индейские племена сочувствуют нам. Когда я попросил о помощи, они с готовностью откликнулись.

— А вы задумывались над тем, что будет, если вас поймают?

— Ни разу. Меня не поймают.

— Похоже, вы и прежде были не в ладах с законом, правда? Как только у меня будет время поразмыслить, я припомню, где слышала ваше имя. Я читала о вас. Вы не в первый раз напрашиваетесь на неприятности.

Ястреб медленно поднялся и склонился над столом так, что его лицо оказалось всего в нескольких дюймах от лица Миранды.

— И буду продолжать на них напрашиваться, пока страдает мой народ.

— Ваш народ? Кто же вы? Вождь, или как это называется?

— Да.

Это слово прозвучало как шипение капли воды на раскаленной сковороде. На миг оно заставило Рэнди замолчать. Вглядевшись в резкие черты этого худого лица, она поняла, что имеет дело не с заурядным бандитом. Ястреб О'Тул — в некотором смысле глава государства, священный правитель.

— Значит, как вождь вы допустили досадную оплошность, — заявила Рэнди. — Как только вы упомянете о руднике «Одинокая пума», эти края будут кишеть агентами ФБР и полицейскими.

— Несомненно.

Широко разведя руками, Рэнди рассмеялась:

— Ну и что же вы намерены делать, когда они появятся? Прятаться под кроватями?

— Нас здесь уже не будет.

Произнеся эти слова, он вышел из-за стола, направился к двери и рванул ее с такой силой, что она чуть не слетела с петель.

— Мы выезжаем через десять минут.

Едва дверь за Ястребом захлопнулась, Рэнди положила ладони на стол и обратилась к Эрни и Лите:

— Вы должны помочь мне. Мистер О'Тул борется за правое дело, у него благородные цели, но вместе с тем он совершил тяжкое преступление. Преступление федерального масштаба. Он попадет в тюрьму, и все вы вместе с ним. — Она облизнула пересохшие губы. — Но я позабочусь, чтобы с вами обошлись справедливо, если вы поможете мне сбежать. По крайней мере добраться до телефона.

Эрни встал и обратился к своей юной жене:

— Лита, все готово?

— Да.

— Сложи вещи у двери. Я погружу их в машину.

Плечи Рэнди беспомощно поникли. Они не только отказались помочь ей сбежать от Ястреба О'Тула — они не захотели даже слушать ее.

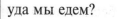

4

—Куда мы едем?

— Разве вы не любите сюрпризы?

Сарказм Ястреба прошелся по нервам Рэнди, как наждачная бумага.

— Послушайте, я все равно не сумею выбраться отсюда без компаса в одной руке и карты — в другой. Если эта местность чем-нибудь и примечательна, так только своим однообразием. Я понятия не имею, куда мы едем.

— Именно поэтому я и не стал завязывать вам глаза.

Обескураженно вздохнув, Рэнди отвернулась к открытому окну пикапа. Прохладный ветер растрепал ее волосы. Тонкий серп луны отбрасывал бледный свет на лицо. На горизонте виднелись едва различимые черные силуэты далеких гор.

Вскоре Рэнди поняла, почему деревня близ рудника «Одинокая пума» была пустынна. Все жители уже перебрались в какое-то убежище. В деревне оставались только те, кто участвовал в похищении, и их родные. Вскоре после того, как Ястреб, хлопнув дверью, вышел из дома Эрни, караван машин направился к неизвестному Рэнди месту назначения. Пикап Ястреба весь день держался последним, но расстояние между ним и предпоследним грузовичком оставалось неизменным.

— Как получилось, что вы стали вождем?

— Я не единственный вождь. У нас есть совет племени, состоящий из семи вождей.

— Этот титул вы унаследовали от своего отца?

На скулах Ястреба заиграли желваки, он стиснул зубы.

— Мой отец скончался в государственной больнице для неизлечимых алкоголиков. Он был немногим старше, чем я теперь.

Немного помолчав, Рэнди продолжила расспросы:

— Его фамилия и вправду была О'Тул?

— Да. Эвери О'Тул был его прапрадедом. Он обосновался здесь после Гражданской войны и женился на индианке.

— Значит, титул вождя достался вам со стороны матери?

— Мой дед по материнской линии был вождем.

— Должно быть, ваша мать очень гордится вами.

— Она умерла сразу после рождения моего брата, появившегося на свет мертвым. Похоже, ошеломленное выражение на лице

Рэнди доставило ему удовольствие. — Видите ли, врач посещал резервацию раз в две недели. А роды матери пришлись на его выходной день. Она истекла кровью.

Рэнди смотрела на него с сочувствием. Неудивительно, что Ястреб ожесточился после столь трагического детства. Однако единственного взгляда на резкий профиль спутника хватило Рэнди, чтобы понять: он не примет ни единого слова утешения, не допустит жалости.

Она взглянула на Скотта. Он спал, растянувшись на сиденье между ними. Голова мальчика покоилась на коленях Рэнди, колени он поджал к груди. Она принялась наматывать на палец прядь белокурых волос сына.

— У вас нет ни братьев, ни сестер? — тихо спросила она.

— Никого.

— А жена когда-нибудь была?

Ястреб искоса взглянул на нее.

— Нет.

— Почему же?

— Если вы хотите знать о моей личной жизни, сообщаю: с ней у меня полный порядок. Но ваша сексуальная жизнь гораздо интереснее моей, так что, если вы хотите о чем-нибудь поговорить, расскажите о себе.

— Не хочу.

— Тогда зачем же вы задаете столько личных вопросов?

— Я пытаюсь понять, почему такой неглупый человек — а вы производите именно такое впечатление — совершил столь нелепый поступок, как похищение женщины с ребенком из поезда, переполненного экскурсантами. Вы хотите помочь своему народу — замечательно! Ваши мотивы заслуживают восхищения. Я ценю вашу смелость. Надеюсь, вам повезет. Но чтобы добиться успеха, есть другие средства.

— Они не подействуют.

— А преступление подействует? Что хорошего, если ваши друзья проведут остаток жизни в федеральной тюрьме?

— Этого не будет.

— Напротив, вполне может быть, — с горечью возразила Рэнди. — Такое обязательно случится, если вы не отпустите нас.

— Не надейтесь.

— Послушайте, мистер О'Тул, не кажется ли вам, что игра затянулась? Люди, которые помогали вам, например Эрни, вовсе не преступники. Они обращаются со Скоттом скорее как с любимым племянником, чем как с заложником. Даже вы по-своему добры к нему.

Рэнди по-прежнему не отказалась от своих намерений совершить сделку.

— Если вы отвезете нас со Скоттом в ближайший город, я никому не скажу, кто похитил нас. На все расспросы я буду отвечать, что вы не открывали лиц и по неизвестным мне причинам передумали и решили отпустить нас.

— Какое великодушие!

— Прошу вас, обдумайте мое предложение.

Пальцы Ястреба сжали руль.

— Нет.

— Клянусь вам, я никому ничего не скажу!

— А Скотт?

Рэнди открыла рот, но не издала ни звука.

— Правильно, — заключил Ястреб, вновь прочитав ее мысли. — Даже если я поверю вам, а я этого не сделаю, едва Скотт проболтается про Ястреба, меня тут же выследят и схватят.

— Этого не случится, если прежде вы не попадались полиции, — выпалила Рэнди.

— Моя репутация чиста. Меня никогда и ни в чем не обвиняли.

— Пока.

— «Пока» не считается, а если бы считалось, то к этому времени вы уже успели бы узнать, что такое секс с индейцем. — Рэнди задохнулась от возмущения. Воспользовавшись ее замешательством, Ястреб добавил: — Не знаю, чего мне хотелось сильнее вчера ночью — увидеть вас униженной или возбужденной.

— Вы омерзительны!

Ответный смешок Ястреба прозвучал хрипло и сухо.

— Не разыгрывайте передо мной недотрогу. Все ваше грязное белье было вытащено на свет, когда муж бросил вас по причине супружеской неверности.

— Причиной развода было названо несходство характеров.

— Официально — может быть, но о ваших внебрачных связях упоминалось постоянно.

— Неужели вы верите всему, что пишут в газетах, мистер О'Тул?

— Я не верю почти ничему.

— Почему же вы сделали исключение для моего пресловутого развода?

Он скользнул по ней взглядом, задержавшись на разлохмаченных ветром волосах, чистом, без малейших следов макияжа лице и одежде, измятой так, словно в ней спали... Впрочем, так оно и было.

— Мне известно, как легко вы поддаетесь уговорам. Помните вчерашнюю ночь?

— Я никому не поддавалась.

— Ошибаетесь. Вы просто не хотите признаться.

С пылающими щеками Рэнди отвернулась и снова уставилась в окно. Ей не хотелось, чтобы Ястреб заметил ее смущение и убедился в своей правоте. Рэнди противно было вспоминать, что она наслаждалась поцелуем — пусть даже всего одно мгновение.

Она оправдывала свою неожиданную реакцию тем, что слишком давно к ее губам не прикасались мужские губы. Она отвергала Ястреба рассудком, но не телом. Ее влекла мужская притягательность этого человека, голову кружил запах его кожи, прикосновение сильных мужских рук. А ощущение того, что она тоже возбуждает его, зажгло настоящий огонь в ее крови. Даже сейчас одного воспоминания об их жарких объятиях хватило, чтобы пламя разгорелось вновь.

Рэнди надеялась, что Ястреб не понял ее переживаний. Но, очевидно, она ошиблась: Ястреб все понял. Он злорадствовал, видя ее слабость. И не только потому, что победа еще больше укрепляла его непоколебимое мужское эго. Эта победа подтверждала его мнение о ней как о шлюхе и ее распавшемся браке. Каким бы сильным ни было ее желание оправдаться, Рэнди сдержалась. Она никогда не унижалась до оправданий ни перед мужем, ни перед его родственниками и друзьями. Не унизится и сейчас.

Закрыв глаза, чтобы отогнать неприятные воспоминания, она откинула голову на спинку сиденья. Несмотря на тревожные мысли, она, должно быть, задремала, поскольку вдруг обнаружила, что машина стоит, а дверца с ее стороны открыта.

— Выходите, — велел Ястреб.

Она сразу заметила: здесь было значительно холоднее, воздух стал более разреженным. Скотт спал, прижавшись к груди Ястреба и обняв его за шею обеими руками. Одной рукой Ястреб удерживал мальчика на весу, а другой открыл для нее дверцу.

Рэнди с трудом выбралась из машины. Было темно. Где-то неподалеку журчала вода — этот звук нельзя было спутать ни с чем. Окрестные холмы пестрели квадратными пятнышками света. Рэнди поняла, что свет горит в окнах многих домов. В тусклом лунном свете различить удавалось только смутные очертания строений.

— Все разместились? — спросил Ястреб у Эрни, который вдруг бесшумно возник из темноты.

— Да. Аита укладывает Донни спать. Она просила пожелать тебе доброй ночи. Хижина, оставленная для миссис Прайс, вон там. — Он указал на неровную тропинку, вьющуюся вверх по склону холма.

Ястреб коротко кивнул.

— Увидимся завтра утром у меня.

Повернувшись, Эрни скрылся в противоположном направлении, а Ястреб зашагал по указанной тропе. Тропа заканчивалась перед небольшим домом, сложенным, насколько сумела разглядеть Рэнди, из грубо отесанных бревен. Ястреб поднялся по ступеням на узкую веранду и толкнул дверь ногой.

— Зажгите лампу.

— Лампу? — робко переспросила Рэнди.

Выругав Рэнди за безрукость, свойственную горожанам, Ястреб передал ей Скотта.

Чиркнув спичкой, он поднес ее к фитилю керосиновой лампы, отрегулировал пламя и поставил стекло на место. Лампа осветила однокомнатное жилище, убранство которого составляли две узкие койки, два табурета и квадратный стол.

— Незачем так пугаться. Это роскошные апартаменты.

Презрительно повернувшись к Ястребу спиной, Рэнди уложила Скотта на одну из коек. Он что-то бормотал во сне, пока Рэнди разувала его и укрывала домотканым шерстяным одеялом. Склонившись, она поцеловала ребенка в щеку.

Рэнди обернулась и увидела Ястреба, который неторопливо разглядывал ее. Она понимала, что ее усталость бросается в глаза, но не хотела выглядеть сломленной. К сожалению, усталость подпортила горделивую позу и вызвала на лице нежелательную унылую гримасу.

— Хижину будут охранять снаружи всю ночь.

— Куда мне бежать? — с досадой выкрикнула она.

— Вот именно — некуда.

Выпрямившись, Рэнди с ненавистью воззрилась на Ястреба:

— Не могли бы вы оставить меня одну, мистер О'Тул?

— Вы вся дрожите.

— Я замерзла.

— Может, прислать молодого, сильного воина, чтобы он согрел вам постель?

Голова Рэнди клонилась вперед, пока подбородок не уперся в грудь. Она слишком устала и пала духом, чтобы вести поединок, даже словесный.

— Просто оставьте меня в покое. Я здесь. Я никуда не денусь. Мы с сыном в ваших руках. Чего еще вы хотите от меня? — Вскинув голову, она с нескрываемым отвращением впилась в него взглядом.

Мускул на щеке Ястреба дрогнул.

— Опрометчивый вопрос, особенно из уст женщины. Не стоит провоцировать меня. Я слишком легко срываюсь. В конце концов, какая разница, как я буду обращаться с вами? Меня в любом случае могут повесить. — Его грудь бурно вздымалась. Казалось, он с трудом сдерживается, чтобы не наброситься на нее. — Я презираю вас! — хрипло выпалил он. — Светлокожая белокурая англичанка со всем присущим этой породе чувством превосходства! Но при каждой встрече меня тянет к вам. Не знаю только, кто из нас больше должен этого стыдиться!

С этими словами он вышел, а дрожащая Рэнди безвольно опустилась на пол там, где стояла.

Солнце только что появилось над вершиной ближайшей горы. Стоя у окна своей хижины, Ястреб наблюдал, как оно медленно всплывает в небо. Ему уже в третий раз пришлось готовить себе кофе. Опустошив жестяную кружку, он отставил ее на дощатый стол у окна.

В эту ночь он не мог заснуть.

Он давно научился довольствоваться самое большее пятью часами сна в сутки. Обычно ему удавалось засыпать мгновенно, чтобы не тратить зря отпущенные краткие часы благословенного отдыха. Но вчерашнюю ночь он всю пролежал без сна, глядя в темноту и досадуя на самого себя.

Пока все складывалось удачно. Ему не на что было сетовать. Похищение состоялось по плану, без сучка без задоринки... если не считать вмешательства миссис Прайс. И все же Ястреб не мог точно назвать причину, по которой он не чувствовал особой радости, а, напротив, мрачнел с каждым часом.

Он не слышал шагов гостя, пока тот не оказался за его спиной. Мгновенно развернувшись, Ястреб принял боевую стойку.

Эрни отступил на несколько шагов и вскинул руки ладонями вверх жестом побежденного.

— Что с тобой? Разве ты не слышал шагов?

Чувствуя, что оказался в нелепом положении, Ястреб неопределенно пожал плечами и протянул Эрни кружку кофе, которую тот охотно принял.

— Все прошло чересчур гладко, правда? Я не перестаю задавать себе вопрос, в чем мы могли ошибиться, — заметил Эрни, ожидая, когда остынет обжигающе горячий кофе.

— Ни в чем. Мы все рассчитали верно, — ответил Ястреб с уверенностью, которой на самом деле не чувствовал. — Письмо будет доставлено сегодня утром. Час спустя мы позвоним Прайсу, а затем, сразу же после нас, позвонят остальные и передадут наши условия.

— Интересно, когда ему удастся связаться с губернатором Адамсом?

— Надеюсь, сразу же после звонков. Газеты будут держать нас в курсе событий.

Эрни усмехнулся:

— Пресса оказывает неоценимую помощь нам, преступникам.

Это замечание напомнило Ястребу о словах женщины, сказанных вчера вечером. Он отвернулся, надел рубашку, затем вновь пристально взглянул на друга.

— Ты чувствуешь себя преступником?

Он не ожидал, что Эрни воспримет вопрос так всерьез, но тот ответил без тени улыбки:

— Пока нет. — Он задумчиво покачал головой. — Но почувствую, если с мальчиком что-нибудь случится. Или с женщиной.

Многозначительная пауза вынудила Ястреба ответить. Он перестал заправлять рубашку в брюки и холодно взглянул на Эрни в упор.

— А что с ней может случиться?

— Об этом надо спросить у тебя.

Ястреб закончил возню с рубашкой и застегнул «молнию» потертых «ливайсов».

— Если она подчинится моим приказам, с ней все будет в порядке.

Эрни наблюдал, как Ястреб присел на край кровати, натягивая носки и сапоги.

— Лита говорит — Январская Заря положила на тебя глаз.

— Январская Заря? Она еще ребенок.

— Ей уже восемнадцать.

— Я и говорю — ребенок.

— Лите было шестнадцать, когда я женился на ней.

— Ну и что это доказывает? Что ты сексуальнее меня? Поздравляю.

Эрни не улыбнулся, услышав вымученную шутку Ястреба. На его бесстрастном лице не дрогнул ни один мускул. Ястреб поднялся и принялся закатывать рукава, обнажая руки до локтя.

— Аарон Лук влюблен в Зарю. Просто она стала взбалмошной и капризной после его отъезда в колледж. Думаю, они объявят о своей помолвке, когда Аарон вернется на рождественские каникулы.

— Значит, у тебя есть еще четыре месяца, чтобы утешить ее.

Тело Ястреба дрогнуло, словно от удара. Взгляд стал жестким и неподвижным, как вода в затоне.

— Как бы я ни относился к Аарону, такую свинью я ему не подложу.

— А мог бы.

— Но не буду.

Несколько минут атмосфера в комнате, где находились двое друзей, была, казалось, накалена до предела. Наконец губы Ястреба раздвинулись в подобии улыбки. Он сунул нож в ножны, висящие на поясе.

— Неужели тебе не хватает Литы, старый ты развратник?

— Более чем хватает, — со сладострастным смешком отозвался Эрни.

— Тогда с какой стати ты суешься в мои дела?

— Потому что вижу, как ты смотришь на нее.

— На кого?

Ответ был настолько очевиден, что Эрни даже не удосужился произнести имя вслух. Вместо этого он просто пожал плечами и сказал:

— Тебе нужна женщина. И как можно скорее. Ты изводишь себя ненужными мыслями и теряешь бдительность.

— Бдительность? О чем ты?

— Несколько минут назад я мог бы убить тебя. Ты не можешь позволить себе погружаться в свои мысли. Особенно сейчас, когда мы все зависим от тебя. Когда так много поставлено на карту. Неужели тебе до такой степени нужна эта бледнолицая?

— Когда мне понадобится женщина, она у меня будет, — отрезал Ястреб.

— Но другая, не эта, Ястреб! Такая женщина, как эта англичанка, не поймет тебя и за миллион веков. Вы чужие.

— Незачем повторять то, что мне прекрасно известно.

— Так же, как незачем напоминать тебе о возможных последствиях твоей связи с этой англичанкой.

— Ты прав. Но ты все равно напомнил о них.

Эрни смягчился, заметив предостерегающее выражение на лице Ястреба.

— От разумности твоих действий сейчас зависит судьба всех нас, — негромко напомнил он.

Ястреб, который был на голову выше Эрни, выпрямился во весь рост и выпятил гордый, волевой подбородок. От его голоса повеяло холодом.

— Я никогда не стану подвергать опасности мой народ. И я не имею ни малейшего желания бросить его, чтобы провести остаток жизни среди бледнолицых.

Долгую минуту они смотрели друг на друга в упор. Эрни не выдержал первым и отвернулся.

— Я пообещал Донни сегодня утром сходить с ним на рыбалку, — сказал он и вышел.

Ястреб смотрел ему вслед. Над его переносицей прорезалась глубокая морщинка, которая сохранилась и час спустя, когда он стоял у койки, на которой спала Миранда Прайс, по-детски подложив ладони под щеку. Ее волосы спутались и разметались по подушке. Слегка приоткрытые губы казались влажными и податливыми. От такого зрелища Ястреб почувствовал возбуждение и проклял себя и свое непокорное тело, но еще яростнее — саму Миранду Прайс.

— Вам пора вставать.

Разбуженная столь внезапно, Рэнди приподнялась, растерянно прижав одеяло к груди. Чуть щурясь спросонок, она уставилась на Ястреба, который поначалу казался ей расплывчатой, высокой черной тенью на фоне залитого солнечным светом окна.

— Что вы здесь делаете? — Рэнди взглянула на соседнюю койку. Скомканное одеяло валялось в ногах, но койка была пуста. — Где Скотт?

— Ловит рыбу с Эрни и Донни.

Отбросив одеяло, Рэнди мгновенно вскочила.

— Он не умеет ловить рыбу! Он плохо плавает! Он не сможет удержаться на воде в быстром ручье!

Она метнулась к двери, но Ястреб ухватил ее за руку.

— Эрни присмотрит за ним.

— Я предпочитаю сама присматривать за своим сыном.

— Так вы превратите его в маменькиного сынка. Вернее, уже превратили.

Рэнди вырвала руку.

— Он еще мал и нуждается в моем присмотре.

— Но еще больше он нуждается в мужском обществе.

— Как вы смеете решать, что нужно моему сыну?!

— Ваш сын боится даже сесть верхом на лошадь.

— Еще бы ему не бояться, когда его увозят вооруженные незнакомцы! Какой мальчик в его возрасте, да и в любом другом, не испугался бы?

— Донни рассказал мне, что Скотт до смерти испугался козла.

— Неудивительно. Он редко видит животных.

— По чьей вине?

— Я водила его в зоопарк, но нам не представилось случая поближе познакомиться со львами и тиграми.

— А с домашними животными?

— Мы живем в многоквартирном доме. Там запрещено держать домашних животных.

— Об этом вам следовало подумать прежде, чем разлучать Скотта с его отцом.

— Его отец не... — Внезапно она оселась. Ястреб нахмурился.

— Ну, что дальше? Чего не делал его отец?

— Это не ваше дело. — Рэнди потерла озябшие руки, но, чтобы Ястреб не принял ее жест за проявление слабости, снисходительно объяснила: — Я очень рада тому, что Скотт растет впечатлительным ребенком, а не грубым и...

— Он просто неженка. И таким его сделали вы.

— А каким бы он вырос у вас? Дикарем, таким, как вы сами?

Схватив Рэнди за предплечья, Ястреб рывком прижал ее к себе. Рэнди задохнулась от неожиданности и в панике вскинула голову. Обдавая горячим дыханием ее лицо, Ястреб проговорил, отчетливо выделяя каждое слово:

— Вы еще не имели дела с настоящим дикарем, миссис Прайс. Молитесь, чтобы этого никогда не произошло. — Продолжая буравить Рэнди своими удивительными яростно-ледяными глазами, он резко оттолкнул ее. — Завтрак ждет вас. Идите за мной.

— Я не хочу завтракать. Я предпочла бы вымыться и переодеться. И Скотту нужна одежда потеплее. Одеваясь два дня назад, мы не предполагали, что нас похитят и увезут в горы.

— Я распорядился, чтобы вам подыскали одежду. Скотта уже переодели. А ванная вон там. — Он повернулся и распахнул дверь хижины, указывая куда-то вверх.

Охваченная любопытством, Рэнди последовала за ним по тропе. То, что она увидела, потрясло ее до глубины души.

При виде невероятной, дикой красоты Рэнди затаила дыхание. Небо над головой было пронзительно-голубым, склон холма порос величественными, стройными вечнозелеными деревьями с симметрично расположенной кроной. Тропа оказалась каменистой, но выбеленные солнцем камни придавали особую прелесть этому дикому уголку.

— Где мы?

— Вы считаете меня идиотом, миссис Прайс?

Досадуя на себя, она поправилась:

— Я только хотела спросить, находимся ли мы на территории резервации.

— Да. Это наша территория. Здесь мы отдыхаем.

— Понятно, почему вы выбрали именно это место. Оно восхитительно!

— Благодарю.

Неукротимый и дикий, как вся природа вокруг, хрустальный поток мчался вниз по склону горы. Мельчайшие брызги висели в воздухе, образуя дымку, искрящуюся в солнечных лучах бесчисленными крошечными радугами. Камни на дне ручья вода обкатала до зеркальной гладкости. Течение было таким стремительным, что Рэнди сомневалась, сумеет ли она удержаться в этом ручье на ногах.

Поминутно оступаясь, она опасливо следовала за Ястребом, пока он не остановился в нескольких футах от ручья и не указал на него рукой:

— Прошу вас.

Рэнди изумленно уставилась на кристально чистый бурный поток, а затем обернулась к Ястребу:

— Вы шутите? Это и есть ванная? Но вода здесь, должно быть, ледяная!

— Вашему сыну она пришлась по вкусу. Откровенно говоря, он даже радовался, что вода слишком холодная.

— Вы... позволили Скотту купаться здесь?

— Да, голышом. Как только он перестал стучать зубами, он пришел в восторг. Нам с трудом удалось выгнать его на берег.

— Не вижу в этом ничего забавного, мистер О'Тул! Скотт не привык к подобному купанию. Он может простудиться.

— Если я правильно понял, вы отказываетесь мыться здесь?

— Вы совершенно правы. — Развернувшись на каблуках, Рэнди направилась к хижине. — Я вымоюсь в доме.

— Как вам угодно.

Ястреб предоставил ей самостоятельно подниматься по тропе, ведущей к хижине. Взбежав на крыльцо, Рэнди с силой захлопнула за собой дверь, понимая, что не сможет даже подогреть ведро воды, оставленное для нее и Скотта. В хижине была печь, но дров нигде не оказалось. Однако эта вода в любом случае была теплее воды из ручья. Рэнди вымылась, насколько это было возможно, и уже начала одеваться, когда кто-то постучал в дверь. Завернувшись в одеяло, она крикнула:

— Войдите!

В хижину вошла Лита, улыбаясь искренне, но робко.

— Ястреб попросил принести вам эту одежду.

Было невозможно не улыбнуться ей в ответ. Со своим широким лицом, вздернутым носом и слишком большим ртом Лита была отнюдь не красавицей, но недостаток миловидности восполняли сияющие темные глаза и мягкие манеры.

— Спасибо, Лита.

Женщина вытащила что-то из кармана своей длинной, бесформенной рубашки.

— Я подумала, что это вам тоже пригодится. — Она робко протянула Рэнди кусок мыла.

— Еще раз спасибо! Мне как раз не хватало мыла.

Рэнди понюхала прямоугольный брусок. От него исходил сильный мужской запах, непохожий на аромат мыла, к которому привыкла Рэнди, но она была благодарна и за это.

— А вот еще расческа, — торопливо добавила Лита, подавая ее Рэнди.

Рэнди повертела обе вещицы в руках. Обычные предметы гигиены теперь казались ей драгоценными.

— Вы очень добры ко мне, Лита. Большое спасибо.

Смущенная похвалой, Лита повернулась, чтобы уйти. Рэнди взглянула на разложенную на столе одежду — фланелевую рубашку в серую и коричневую клетку и длинную юбку самого тусклого грязновато-коричневого цвета, какой она когда-либо видела. Даже военная маскировочная форма выглядела привлекательнее.

— Мистер О'Тул сам выбрал эти вещи?

Лита кивнула и выскользнула за дверь, словно опасаясь, что Рэнди швырнет в нее эти уродливые тряпки.

Рэнди закончила туалет. Под рубашкой на столе лежало свернутое белье. Трусики пришлись впору, а лифчик был велик на несколько размеров. Свой лифчик Рэнди уже постирала. Он был еще влажным, и она решила обойтись без него. Впрочем, это не имело значения: рубашка была такой же бесформенной, как и юбка. Вещи мешком висели на худенькой Рэнди. Очевидно, Ястреб решил, что нашел еще один гнусный способ сломить ее волю.

Досадуя на отсутствие зеркала, Рэнди сделала все возможное, чтобы выглядеть пристойно. Она затянула длинные полы рубашки узлом на талии, закатала рукава выше локтей и опустила воротник. Усовершенствовать юбку было невозможно, но зато Рэнди нашла достойное применение расческе. Выбрав из волос весь мусор и как следует расчесав их, она вытащила из туфли шнурок и связала волосы в конский хвост.

Рэнди не знала, что ее ждет, но не собиралась сидеть в хижине весь день. Стояла чудесная погода, день выдался солнечным и жарким. Если уж ее держат здесь, в горах, вопреки ее воле, надо насладиться неожиданным отдыхом. Кроме того, Рэнди не терпелось увидеть Скотта. Ее по-прежнему тревожила мысль о том, что мальчик бродит один, без нее, в этой глуши. Он был еще слишком мал, чтобы осознавать опасность.

Шагнув на веранду, Рэнди огляделась. В прошлый раз, выйдя из хижины вместе с Ястребом, она заметила поблизости всего несколько человек. Теперь их стало гораздо больше — около сотни. Кроме того, Рэнди удивилась, разглядев множество хижин на склонах холмов. Хижины казались естественным продолжением склонов; сливаясь с фоном, они были почти неотличимы от него.

Расслышав голос Скотта сквозь плеск воды, Рэнди поспешила к ручью и застыла как вкопанная, увидев сына на берегу в обществе Эрни и Донни. Стоя на коленях возле гладкого валуна, который служил ему столом, Скотт потрошил рыбу ножом, который подарил ему Ястреб.

— Скотт!

Он вскинул голову и, взглянув на мать сквозь свисающую на глаза челку, сверкнул щербатой улыбкой.

— Мама, иди сюда! Я поймал целых три рыбы! И поймал сам, и снял с крючка!

Его восторг был так заразителен, что Рэнди невольно улыбнулась. Осторожно пробравшись между камнями, она остановилась рядом с сыном:

— Это замечательно, но...

— Эрни показал мне, как насаживать наживку, как забрасывать крючок в воду, как вытаскивать его изо рта рыбы. Донни уже умеет все это, но он поймал всего две рыбы, а я три!

— Тебе не холодно? Ты купался здесь? Эти камни ужасно скользкие. Будь осторожен, Скотт.

Но мальчик, казалось, не слышал ее. Он продолжал делиться с ней своим восторгом:

— Сначала надо отрезать головы. Потом — распороть животы. Это — рыбьи кишки, видишь, вот эти скользкие штуки? Надо ножом вытащить их оттуда, чтобы зажарить рыбу и съесть.

И он вновь набросился на рыбу с воодушевлением, от которого Рэнди стало дурно. Мальчик высунул кончик языка и прижал его к левому уголку рта, как делал обычно, когда очень старался.

— Но с ножом надо обращаться осторожно, чтобы не отрезать себе палец, иначе и его придется приготовить на ужин. Так сказал Ястреб.

— Мальчик быстро учится.

Рэнди обернулась. За ее спиной стоял Ястреб. Несмотря на то что ее голова едва доставала ему до плеча, Рэнди строго нахмурилась и произнесла, подчеркивая каждое слово:

— Я хочу, чтобы вы скорее решили свои проблемы и мы могли уехать отсюда. Позвоните Мортону. Заставьте его согласиться с вашими требованиями. Позвоните сами губернатору Адамсу. Выйдите... Как это называется? На тропу войны. Мне наплевать, как вы это сделаете, только отправьте нас домой, понятно?

— Тебе здесь совсем не нравится, мама?

Она вновь повернулась к Скотту. Его перепачканное личико исказила гримаса тревоги. Блеск в глазах погас. Мальчик больше не улыбался и казался неожиданно разочарованным.

— А мне нравится. Здесь так здорово.

— Нет, Скотт, не здорово. Это... — Рэнди взглянула на кучку рыбьих потрохов на камне. — Это омерзительно. Немедленно отправляйся в хижину и вымой руки и лицо с мылом.

Нижняя губа Скотта задрожала. Он смущенно опустил голову, его плечи поникли. Рэнди редко говорила с ним столь суровым тоном и никогда — в присутствии посторонних. Но, видя, как он с удовольствием развлекается в обществе своих похитителей, по своей наивности не понимая, какую угрозу они представляют, Рэнди не выдержала.

Ястреб встал между ней и Скоттом и положил руку на плечо мальчика.

— Ты очень хорошо управился с рыбой, Скотт.

Скотт вскинул голову и недоверчиво уставился на Ястреба:

— Правда?

— Ты так хорошо поработал, что теперь я готов дать тебе еще одно поручение. Отправляйся с Эрни и Донни. Ты же знаешь, мы привезли с собой лошадей. Я хочу, чтобы ты помог ухаживать за ними.

Рэнди попыталась было запротестовать, но Ястреб обернулся и подавил все протесты одним свирепым взглядом.

— Эрни!

— Пойдемте, мальчики, — позвал Эрни.

Скотт помедлил. Он неуверенно мялся, поглядывая то на Ястреба, то на мать.

— Мама, можно мне пойти с ними?

Едва шевеля губами, Ястреб произнес тихо, так, что его услышала только Рэнди:

— Я разлучу вас с ним. Вы не будете знать, где он и чем занимается.

Рэнди сглотнула. Сжав кулаки, она крепко зажмурилась. Ее загнали в угол — как в тот день, когда до нее впервые дошли безобразные и несправедливые слухи о ней самой. Она уже знала, когда сопротивление бесполезно, и поняла, что сейчас наступил как раз такой случай.

— Отправляйся с Эрни и Донни, дорогой, — хрипло произнесла она. — Только будь очень осторожен.

— Хорошо! — радостно пообещал Скотт. — Идем, Донни. Я больше не боюсь лошадей.

Рэнди еще долго слышала веселый щебет удалявшихся вниз по склону мальчиков. Помедлив, она посмотрела Ястребу прямо в глаза и отчеканила:

— Сукин сын!

Быстрым и плавным движением Ястреб вытащил из ножен нож и взмахнул им в дюйме от носа Рэнди.

— Рыбу придется чистить вам.

5

Рэнди недоверчиво рассмеялась.

— Чистите ее сами! А еще лучше — идите ко всем чертям! — Резким движением она отвела нож от своего лица. — К вашему сведению, дикарь, я не ваша покорная скво.

— Почистите рыбу, иначе останетесь голодной.

— Вот и хорошо.

— И Скотту будет нечего есть.

Попытавшись взять его на пушку, Рэнди возразила:

— Вы не посмеете морить ребенка голодом, мистер О'Тул.

Ястреб долго смотрел на нее. Рэнди восторжествовала, уверенная, что одержала серьезную победу, но тут он произнес приглушенным, ровным голосом:

— Почистите рыбу, иначе я выполню свою угрозу. Разлучу вас с сыном.

Он был неглуп и, значит, представлял собой опасного врага. Даже вонзив нож в бок Рэнди, он не сумел бы найти столь короткого и безошибочного пути к ее сердцу. Зная ее самое уязвимое место, он цинично играл на материнских чувствах. Не знать, что с сыном, не видеть его, особенно в такой глуши, казалось Рэнди самой ужасной пыткой.

Метнув в сторону Ястреба убийственный взгляд, Рэнди взяла у него нож. Некоторое время она разглядывала его, проводя пальцами по гладкой костяной рукоятке и тупому краю блестящего стального лезвия.

— Не вздумайте броситься на меня с ножом, — негромко предупредил Ястреб. — Они убьют вас прежде, чем я коснусь земли.

Рэнди непонимающе взглянула на Ястреба, а он мотнул головой в сторону. Несколько индейцев стояли неподалеку, делая вид, что беседуют, но одновременно следя за ней настороженно и внимательно. Ястреб сказал правду. У нее не останется ни единого шанса, если она прибегнет к насилию. Нет, Рэнди не собиралась убивать его, но надеялась припугнуть.

Вновь потерпев поражение, она присела рядом с валуном, на котором лежала рыба Скотта.

— Я не умею чистить рыбу.

— Учитесь.

Рэнди с отвращением уставилась на полувыпотрошенную тушку. Одного запаха хватило, чтобы к горлу подкатила тошнота. Не в силах прикоснуться к рыбе голыми руками, она потрогала одну кончиком ножа.

— Что надо делать? — беспомощно спросила она.

— Вы же слышали, что сказал Скотт, — сначала отрежьте голову.

Наконец Рэнди набралась духу, взяла за хвост рыбину, оставшуюся нетронутой, и провела ножом по чешуе. Первое же робкое движение вызвало отвратительный скрежещущий звук. Вскрикнув, Рэнди выронила рыбу и задрожала.

Шепотом выругавшись, Ястреб потянулся, схватил ее за рубашку и поднял на ноги. Подобранный нож резким движением сунул в ножны и подозвал одного из индейцев. От группы отделился мальчик-подросток, и Ястреб что-то быстро объяснил ему на родном языке. Мальчик уставился на Рэнди и засмеялся, а Ястреб дружески похлопал его по спине.

— Разве вы не собирались заставлять меня чистить рыбу? — спросила Рэнди, когда Ястреб повел ее прочь.

— Нет.

— Значит, в этом не было необходимости? Вы добились своего: вы хотели унизить меня, как сделали это, заставив напялить мерзкие тряпки!

— Я не хотел, чтобы вы чистили рыбу, потому что мне жалко ее портить. У вас все равно ничего бы не вышло. — Он искоса взглянул на Рэнди, окатив презрением за ее неумение и тщетные попытки выглядеть привлекательной в жуткой одежде. — Разве вы никогда не готовили рыбу?

Необходимость оправдываться вызвала у Рэнди раздражение.

— Только купленную в супермаркете. Мне не приходилось чистить ее.

— Вы никогда не ездили на рыбалку?

Рэнди отрицательно покачала головой. Ее глаза затуманились от воспоминаний.

— Мой отец не любил отдыхать на природе.

— Не любил? Он умер?

— Да.

— Что с ним случилось?

— Какая вам разница?

— Никакой — в отличие от вас.

Несколько минут Рэнди упрямо молчала, а затем произнесла:

— Он загнал себя, доработался до сердечного приступа. Он умер прямо в офисе, за своим столом.

— А ваша мать?

— Она снова вышла замуж и живет со своим мужем на Восточном побережье. — Тряхнув головой, Рэнди грустно добавила: — Она выбрала в точности такого же мужчину, каким был отец. Я не могла поверить своим глазам.

— Каким же мужчиной он был?

— Требовательным, эгоистичным трудоголиком. Думал только о своей карьере. Не-

возможно сосчитать, сколько семейных поездок нам пришлось отменить потому, что
возникали какие-то дела и отец не мог — или
не хотел — уезжать из города.

— Не повезло вам. Еще бы — никаких
поездок! Должно быть, вам приходилось все
каникулы изнывать от скуки у бассейна за
домом.

Рэнди остановилась, вспыхнув.

— Как вы смеете с таким пренебрежением
говорить обо мне и моей жизни? Что вы о ней
знаете?

Ястреб нагнулся, приблизив свое лицо к
лицу Рэнди.

— Ни черта. Там, где я вырос, не было
бассейнов на задних дворах.

Она могла бы поспорить с ним, могла за-
явить, что охотно рассталась бы с бассейном в
обмен на внимание со стороны отца. Он всегда был слишком занят, чтобы обращать внимание на жену и дочь. Когда они жаловались,
утверждая, что он отдает все силы работе, он
оправдывался тем, что работает ради них, и
Рэнди чувствовала себя неблагодарной и ви-
новатой.

Но с возрастом она все поняла. Отец тру-
дился вовсе не для того, чтобы его дочь и жена
купались в роскоши. В сущности, он вообще
работал не ради них, а чтобы удовлетворить
свои собственные честолюбивые устремле-
ния. Карьера была для него всем.

Но Рэнди согласилась бы лучше умереть, чем обсуждать свою личную жизнь с этим жестоким человеком. Пусть думает о ней все, что пожелает. Ей все равно.

Однако вскоре Рэнди поняла, что с такой суровостью Ястреб относится только к ней. Пока они шли по поселку, Ястреб то и дело останавливался, чтобы поговорить со своими соплеменниками — похвалить малыша, ввязаться в спор о седле, помочь покопаться в моторе машины.

Вдвоем они подошли к юноше, сидящему под деревом и потягивающему виски из бутылки. Заметив Ястреба, он вздрогнул и начал озираться, словно желая удрать. Поспешно заткнув бутылку, он спрятал ее за спину.

— Джонни, — лаконично приветствовал его Ястреб.

— Привет, Ястреб.

— Это миссис Прайс.

— Знаю.

— Значит, ты знаешь, почему мы здесь и как это важно для нас.

— Да.

— Если рудник закрылся, это еще не значит, что у нас нет работы. До его открытия мы должны отремонтировать все машины. Я рассчитываю, что ты справишься с этим делом, ясно?

Темные глаза Джонни блеснули, он судорожно сглотнул.

— Ясно.

Ястреб посмотрел вниз, на бутылку виски: он ничего не сказал, но его взгляд был красноречивее любых слов.

— Ты — лучший механик среди нас. От тебя зависим мы все. Смотри, не разочаруй меня.

Юноша усердно закивал:

— Я начну немедленно.

Ястреб коротко кивнул в ответ и отошел.

— Почему вы уверены, что он вновь не приложится к бутылке? — спросила Рэнди, когда они отошли на достаточное расстояние.

— Я не уверен в этом. Просто надеюсь. Стоит ему глотнуть спиртного, и ему бывает неимоверно трудно от него оторваться.

— Он слишком молод, чтобы страдать алкоголизмом.

— Он совершил серьезную ошибку и теперь расплачивается за нее.

— Какую ошибку?

— Женился на англичанке. — Он сурово взглянул на Рэнди. — Она отказалась жить в резервации, а Джонни не мог уехать отсюда, потому что знал: обратный путь для него будет навсегда закрыт. Однажды его жена собрала вещи и исчезла. С тех пор он запил. Его самолюбие было уязвлено: сначала он влюбился в нее, женился на ней, а потом не смог удержать.

Не обращая внимания на сарказм Ястреба, Рэнди уточнила:

— И вы пытаетесь восстановить его уверенность в себе, загружая работой?

— Вроде того, — пренебрежительно пожав плечами, ответил Ястреб. — Но он действительно превосходный механик, а машины нуждаются в ремонте.

— Значит, в этом племени вы — психолог, защитник детей и устроитель судеб. Кто же вы еще, мистер О'Тул?

Он шагнул на веранду хижины и распахнул дверь.

— А еще — главарь преступников.

До сих пор Рэнди не замечала, куда идет, но теперь застыла на верхней ступеньке.

— Что это значит?

— Заходите в дом.

Поколебавшись, она ступила через порог. В хижине показалось темно после яркого солнечного света, и Рэнди понадобилось несколько секунд, чтобы глаза привыкли к полумраку. Несколько мужчин, в которых Рэнди узнала похитителей, расположились вокруг шаткого деревянного стола, на котором стоял первый увиденный Рэнди после похищения телефон. Ее сердце радостно дрогнуло, но надежда тут же улетучилась при виде мрачных лиц мужчин.

— А где Эрни? — спросил один из них у Ястреба.

— Присматривает за мальчиком. Он просил начинать без него.

— Если все идет согласно плану, пора сделать первый звонок.

По-видимому, Ястреб был согласен. Он присел на единственный стул в комнате и придвинул к себе телефон. Посмотрев на Рэнди, Ястреб коротко приказал:

— Идите сюда!

— Зачем?

Голубые глаза под густыми изогнутыми бровями угрожающе блеснули.

— Подойдите сюда.

Она сделала несколько шагов и оказалась у самого стола, напротив Ястреба. Он объяснил:

— Разговор должен быть кратким. Тридцать секунд, самое большее — сорок пять. Когда я передам вам трубку, назовите себя Прайсу. Скажите, что вы в безопасности, что с вами обращаются хорошо и что мы предлагаем сделку. Больше ни о чем не упоминайте. Иначе вы об этом пожалеете.

Вытащив нож из ножен, он положил его перед собой на стол.

— На карту поставлены наша честь и жизнь. Мы готовы умереть, но вернуть себе то, что принадлежит нам по праву. Ради будущих поколений. Вы меня поняли?

— Полностью. Но если вы надеетесь, что я скажу в трубку хотя бы слово, вы глубоко заблуждаетесь.

Твердое заявление Рэнди вызвало ропот недовольства у присутствующих в комнате.

Казалось, они возмущены ее пренебрежением по отношению к Ястребу. Ястреб же просто продолжал сверлить ее своими ярко-голубыми глазами.

Спустя несколько секунд он скривил губы, пожал плечами и обронил:

— Ладно. — И, обращаясь к стоящему у двери мужчине, добавил: — Приведи мальчика. Пусть он поговорит.

— Нет!

Возглас Рэнди остановил мужчину прежде, чем он успел сделать хотя бы шаг к двери. Они обменялись с Ястребом упрямыми взглядами. Его твердое, словно высеченное из камня лицо дышало решимостью. Он не собирался сдаваться — это Рэнди поняла сразу. А она не могла допустить, чтобы Скотт был вынужден разговаривать по телефону с отцом, и Ястреб понимал это. Между ними происходила борьба воль.

Несомненно, Мортон будет вне себя. Его беспокойство передастся Скотту. Во время разговора на столе будет лежать этот нож. Скотт достаточно сообразителен, чтобы уловить угрозу. То, что раньше казалось ему захватывающим приключением, станет кошмаром, как и для Рэнди. Как и рассчитывал Ястреб, Рэнди готова была предотвратить все это любой ценой.

— На этот раз вы выиграли, — процедила она сквозь зубы, в очередной раз остро переживая свое бессилие. — Я поговорю с Мортоном.

Ястреб промолчал: в победе он был уверен с самого начала. Подняв трубку, он набрал номер. Послышались гудки «занято».

Все в комнате, в том числе и Рэнди, напряженно вздохнули. Рэнди вытерла увлажнившиеся ладони о рубашку.

— Что это значит? Может, кто-нибудь не выдержал и позвонил раньше назначенного времени?

— Нет, это исключено. Должно быть, Прайс с кем-то беседует.

Он вновь набрал номер — на этот раз в трубке послышались длинные гудки. Трубку сняли только после третьего сигнала — чтобы дать ФБР время выяснить, откуда был сделан звонок, решила Рэнди. Все это не предвещало ничего хорошего.

В ту же секунду, как Мортон произнес «алло», Ястреб назвался похитителем.

— Миссис Прайс и ваш сын Скотт у меня. — Он передал трубку Рэнди.

Вытерев скользкие от пота руки, она схватила трубку и чуть не уронила, не донеся до уха. Глаза Ястреба притягивали ее как магниты.

— Мортон?

— О господи, Рэнди, это ты? Как я волновался! Как Скотт?

— Со Скоттом все в порядке.

— Если они посмеют...

— Они ничего не сделают. — Ястреб скользящим движением провел по своей шее указательным пальцем. — С нами обращаются хорошо. — Ястреб поднялся со стула и потянулся к трубке. — Прошу тебя, сделай так, как они скажут. Они предлагают сделку.

Ястреб вырвал у нее трубку, и, прежде чем он ее повесил, все в комнате услышали приглушенный голос Мортона, требующего информации.

— Через несколько секунд ему позвонят во второй раз и изложат часть наших условий, — объявил Ястреб, ни к кому не обращаясь. Потом посмотрел в глаза Рэнди: — Вы неплохо справились, миссис Прайс. — В молчаливом отчаянии она наблюдала, как Ястреб взялся за телефонный провод и перерезал его ножом. — Больше он нам не понадобится.

Теперь, когда последняя ниточка связи была прервана, Рэнди в голову начали приходить десятки способов сообщить, где она находится. Любое подобное сообщение, вероятно, стоило бы ей жизни, но она могла попытаться. Она упрекала себя в трусости и оправдывалась только тем, что без нее Скотт остался бы совершенно беззащитным. Она не могла рисковать своей жизнью, потому что была ответственна за сына.

Ястреб приказал одному из мужчин проводить Рэнди в ее хижину и запереть там.

Ее отчаяние уступило место гневу.

— На целый день? — вскричала Рэнди.

— На сколько я сочту нужным.

— Что же я буду там делать весь день?

— Скорее всего, злиться.

Его трудно было вывести из себя, зато она вскипела:

— Я хочу, чтобы Скотт был со мной.

— У Скотта найдутся другие занятия. Поскольку он, в отличие от вас, не пытается сбежать, незачем держать его взаперти.

Ястреб взглядом указал на дверь. Мужчина, которому был отдан приказ увести Рэнди, взял ее за локоть — решительно, но не больно. Рэнди гневно высвободила руку.

— Я дойду сама, — с милой улыбкой произнесла она, хотя глаза ее метали молнии. — Когда вас поймают, надеюсь, вам придется просидеть взаперти всю жизнь.

— Этого никогда не будет.

Возвращаясь в свою хижину, Рэнди с тревогой вспоминала о том, с какой уверенностью Ястреб произнес последние слова.

— ...Это была настоящая, большая лошадь, мама, а не пони. И я ехал на ней сам! Сначала Эрни вел ее на веревке, а потом хлопнул по крупу — вот эта часть у лошадей называется крупом, — и мы поскакали, — рассказывал Скотт и воодушевленно жестикулировал, показывая, как лошадь сорвалась с места. — Но я не выезжал из кораля. Ястреб сказал, что завтра, может быть, он разрешит мне выехать — там будет видно.

— Возможно, завтра нас здесь уже не будет, Скотт. Твой папа должен приехать и забрать нас домой. Разве ты не рад? — добавила она, заметив разочарование, отразившееся на лице сына.

Скотт задумался над вопросом матери.

— Да, рад, но лучше бы он приехал попозже. Здесь так весело!

— Разве ты не боишься?

— Чего?

И вправду, чего? Рэнди мысленно повторила свой вопрос. Вечерних теней, которые кажутся длиннее и темнее, чем в городе? Лиловых сумерек, наступающих часом раньше, когда солнце садится за горные вершины? Непривычных звуков и запахов?

— Ястреба, — наконец сказала она.

Скотт с озадаченным видом уставился на нее:

— Ястреба? Почему я должен бояться Ястреба?

— Он поступил плохо, Скотт. Он совершил серьезное преступление, когда увез нас от поезда против нашей воли. Ты же знаешь, это называется похищением.

— Но Ястреб хороший.

— Помнишь, что я тебе всегда говорила: никогда нельзя садиться в машину к незнакомым людям, какими бы хорошими они ни казались?

— Как те плохие люди, которые трогают мальчиков и девочек там, где нельзя? — Он закивал головой. — Но Ястреб не трогал меня. Может, он трогал тебя там, где нельзя, мама?

Ей пришлось прокашляться, прежде чем она смогла ответить:

— Нет, но люди совершают и другие нехорошие поступки.

— Ястреб хочет сделать нам что-то плохое? — Выгоревшие бровки встревоженно сошлись на переносице.

Слишком поздно Рэнди поняла: ее предостережения принесут больше вреда, чем пользы. Ей не хотелось тревожить Скотта, но вместе с тем она не желала, чтобы Ястреб стал его кумиром. Принужденно улыбнувшись, она лизнула пальцы и пригладила упрямо торчащий вихор над лбом сына.

— Нет, он не сделает нам ничего плохого. Просто запомни: он совершил поступок, запрещенный законом.

— Ладно. — Скотт согласился слишком легко. Предостережение матери он пропустил мимо ушей и тут же забыл о нем. — Сегодня Ястреб научил меня ловить рыбу острогой в заводи, где стоячая вода. Он показал мне, как надо ножом оттачивать палку. Он говорил, что иметь оружие — хорошо, но вместе с ним появляется и от... отвечательность.

— Ответственность.

— Да, да. Он сказал, что оружием можно пользоваться, чтобы добыть еду, защититься или... — Мальчик нахмурился, пытаясь припомнить. — Да, или защитить того, кого любишь.

Рэнди с трудом верилось, что Ястреб когда-нибудь кого-нибудь любил. Может быть, родителей? Деда с материнской стороны, который был вождем? Свой народ? Народ — наверняка. Но любовь между ним и другим человеком? Рэнди не могла себе представить, чтобы такой жестокосердный человек, как Ястреб, был способен на любовь к женщине.

Растревоженная мыслями, она рассеянно произнесла:

— Всегда будь осторожен с ножом.

— Хорошо. Ястреб долго объяснял мне, что надо делать, чтобы не пораниться.

— О чем еще ты говорил с Ястребом?

— Сегодня, когда мы ходили с ним в кустики, я спросил, будет ли моя штучка такой же большой. Привет, Ястреб!

Ошеломленная беспечной болтовней Скотта, Рэнди обернулась и увидела, что предмет их беседы стоит на пороге хижины, заслонив узкий дверной проем. Скотт бросился к нему:

— А я рассказывал маме про...

— Уроки обращения с ножом, — быстро перебила она и встала, надеясь, что Ястреб не услышал последних слов Скотта. — По-моему, Скотт еще слишком мал, чтобы играть с ножами.

— Чтобы играть — да. Но каждый мальчик, даже англичанин, выросший в городе, должен приобрести навыки обращения с оружием. Я пришел, чтобы позвать вас ужинать. Ты готов, Скотт?

Не сводя глаз с Рэнди, Ястреб протянул мальчику руку, и тот, как всегда, с готовностью ухватился за нее. Они вышли из хижины вдвоем, предоставив Рэнди следовать за ними в одиночестве.

Скотт развлекал Ястреба разговором, пока они не достигли центра поселка, где был накрыт своеобразный стол а-ля фуршет. Главным блюдом оказалось чили, поданное в огромных котлах, — его варили на медленном огне целый день. Каждая семья принесла к столу еще по одному блюду.

Люди собирались кучками вокруг костра. Наполнив жестяные миски, Ястреб подвел Рэнди и Скотта к расстеленному на земле одеялу, скрестил ноги и уселся одним грациозным движением. Скотт попытался подражать ему и чуть не опрокинул свою миску с чили. Ястреб подержал его миску, пока мальчик устраивался поближе к нему. Рэнди пристроилась на краешке одеяла как можно дальше от Ястреба.

К ее удивлению, еда оказалась вкусной, а может, она просто слишком проголодалась. В любом случае чили было горячим и сытным.

106

— Все глазеют на меня, — пожаловалась Рэнди Ястребу, расправившись с едой.

Большинство индейцев еще сидели у огня. Женщины болтали и дружно смеялись, несколько мужчин, собравшись в кружок, перебирали гитарные струны и наигрывали какие-то мелодии.

— Из-за ваших волос. — Неожиданная хрипотца в голосе Ястреба заставила Рэнди вскинуть голову. — В отблеске огня они кажутся...

Он не договорил, и это вызвало у Рэнди странное чувство, как и его чересчур пристальный взгляд. У Рэнди возникло ощущение, что она падает и не может остановиться. В отчаянии она мечтала услышать конец фразы, но интимность момента пугала ее.

— Мне холодно, — сказала она. — Я хочу уйти в хижину.

Ястреб отрицательно покачал головой.

— Прошу вас! — настаивала Рэнди.

— Если вы уйдете, мне придется отправить за вами охрану. — Он указал на собравшихся в кружок мужчин. — А им нужен отдых.

— Мне нет дела до того, что им нужно! — выпалила Рэнди. — Я хочу уйти в дом. Я замерзла!

Не сводя с нее враждебного взгляда, Ястреб поднял руку. Не прошло и нескольких секунд, как рядом с ним появилась девушка и улыбнулась, готовая выслушать его. Ястреб отдал краткое приказание. Девушка исчезла в темноте и через минуту появилась с одеялом, перекинутым через руку. Она протянула его Ястребу, но тот вновь что-то резко приказал. Девушка повернулась к Рэнди. Она уже не улыбалась, выражение ее лица стало враждебным. Буквально швырнув одеяло в Рэнди, она отошла.

Рэнди развернула одеяло и закуталась в него.

— Что с ней такое?

— Ничего. — Ястреб хмурился, наблюдая, как девушка обходит костер и усаживается почти напротив них по другую его сторону. Даже издалека ее враждебность была очевидна.

— Она весь вечер бросает на меня убийственные взгляды. Чем я ей не угодила?

— Она просто слишком впечатлительна.

Но Рэнди не купилась на уклончивый ответ. Она умела распознавать ревность, а молодая индианка была буквально переполнена ею.

— Разве то, что я сижу на вашем одеяле, что-нибудь значит?

— Обычно вместе едят семьи.

— Это древний племенной обычай?

— Это недавний обычай, введенный мной.

— Для этого была какая-то причина?

— Важно, чтобы дети привыкали причислять себя к кругу своей семьи. Отец, мать и дети — это основа всего.

— Тогда почему же мы со Скоттом едим рядом с вами?

— Временно я несу ответственность за вас.

— То есть мы считаемся вашей семьей?

— Можно сказать и так.

— Очевидно, именно это ее и задело. Не надо спрашивать кого — я говорю о впечатлительной девушке, которая так злобно посматривает на меня и умильно — на вас. Как ее зовут?

— Январская Заря.

Сквозь пляшущее пламя костра Рэнди присмотрелась к девушке. Заря отличалась классическими чертами североамериканских индейцев — высокими скулами и удлиненными глазами, которые вспыхивали жарко, как костер, каждый раз, когда обращались на Ястреба. Они излучали желание и страсть. Чувственные губы и плавные изгибы фигуры Зари вскружили бы голову любому мужчине, пробудив его инстинкты.

— Она ревнует ко мне, правда? — интуитивно предположила Рэнди. — Она мечтает сидеть рядом с вами на одном одеяле. Почему бы вам не предложить ее отцу табун отличных лошадей? Я уверена, ее отдадут вам, стоит только попросить.

Уголки губ Ястреба слегка приподнялись. Рэнди еще не видела на его суровом лице выражения, настолько напоминающего улыбку.

— В детстве я тоже смотрел этот фильм Джона Узина.

Рэнди нетерпеливо перебила:

— Вы же понимаете, что я имею в виду.

— Да, понимаю. — Чуть заметная улыбка сменилась обычным строгим выражением. — Если бы я захотел Зарю хотя бы на одну ночь, мне не пришлось бы платить.

Рэнди кивнула, словно слова Ястреба произвели на нее впечатление.

— Такой привилегии вас удостоили бы как вождя?

— Нет, такой привилегии меня удостоили бы как Ястреба О'Тула.

Получив ощутимый щелчок по носу, Рэнди благоразумно замолчала. Она уже не сомневалась в том, что большинство женщин питают нежные чувства к Ястребу. Он казался загадочным человеком. Его холодность бросала вызов женскому стремлению утешать и согревать. Особенно привлекательным он был для тех, кому нравились молчаливые одиночки. Гибкое мощное тело манило прикоснуться к нему. При мысли об этом ее щеки порозовели.

— Что-нибудь не так? — спросил он, вытягивая ноги и опираясь на локоть.

— Нет, просто я... — Она не могла оторвать взгляд от выпирающей выпуклости под «молнией» его джинсов. Поспешно отвернувшись, она выпалила первое, что пришло ей в голову: — Вы часто упоминаете о детях и будущем племени. Но сами вы, похоже, до сих пор не обзавелись детьми.

— С чего вы это взяли?

6

Рэнди вырвалось приглушенное восклицание:

— Я просто предположила... вы же сказали, что никогда не были женаты...

Забавляясь ее растерянностью, Ястреб усмехнулся:

— Незаконнорожденных детей у меня тоже нет.

Рэнди в ярости уставилась на него, понимая, что Ястреб умышленно ввел ее в заблуждение.

— Тогда почему же вы поставили меня в глупое положение?

— Потому что вы сами этого добивались.

Уязвленная гордость Рэнди взывала к битве.

— Если вы так цените семью, почему же сами не заводите детей? Разве несколько маленьких О'Тулов не подкрепят племя?

— Вполне возможно.

— Так в чем же дело?

— У меня хватает забот. Зачем взваливать на себя дополнительную ответственность?

— Хорошая жена могла бы позаботиться о ваших детях.

— И у вас есть на примете подходящая кандидатура?

— Например, она.

— Кто? Заря? — переспросил Ястреб, когда Рэнди указала на девушку, по-прежнему сидящую на одеяле по другую сторону костра, напротив Ястреба. — Она еще девственница.

— Понятно, — усмехнулась Рэнди. — Вы поверили ее слову или проверили это сами?

Скабрезный вопрос не понравился Ястребу. Нахмурившись, он ответил:

— Я для нее слишком стар.

— По-моему, Заря иного мнения.

— Она годится мне в дочери. Но, так или иначе, она принадлежит другому.

— Принадлежит?

— Один из наших юношей, Аарон Лук, влюблен в нее с детства.

— Разве это имеет для вас значение?

Пылающее пламя костра не шло ни в какое сравнение с огнем, вспыхнувшим в глубине его гневных глаз.

— Да. Огромное.

Рэнди отвернулась, втайне признаваясь, что заслужила этот разгневанный взгляд. Она не имела права оскорблять ни Ястреба, ни эту девушку. Единственным ее оправданием могла служить вспыльчивость. И подозрительность.

Проведя полжизни рядом с отцом, а затем с Мортоном Прайсом, она считала всех муж-

112

чин эгоистами, которые берут все, что захотят и когда захотят. Либо Ястреб О'Тул лгал, пытаясь произвести на нее впечатление своим благородством, либо он был мужчиной, каких Рэнди еще не доводилось встречать в своей жизни.

Она сразу отмела предположение о том, что Ястреб — гомосексуалист. Но какой мужчина отказался бы от откровенного предложения соблазнительной Зари? Благородство — редкое явление. Рэнди было легче поверить, что Ястреб солгал ей, хотя на вопрос, почему он это сделал, она так и не смогла найти ответа.

Беседа между ними сама собой прервалась. Оба были довольны возможностью помолчать. Поерзав под теплым одеялом, Рэнди с наслаждением глубоко вдохнула свежий горный воздух. Казалось, он очищает ее изнутри.

Индейцы негромко пели под аккомпанемент гитар. Незатейливый ритм их песен успокаивал, завораживал, заставлял прислушиваться. Разговоры вокруг костра постепенно умолкли.

Дети, с которыми Скотт играл в прятки за ближайшими деревьями, наконец угомонились. Скотт вернулся к расстеленному на земле одеялу и втиснулся между Ястребом и Рэнди. Закутав его в свое одеяло, Рэнди прижала голову сына к своей груди и сжала в руках холодные ладошки. Поцеловав его в макушку, она шутливо потянула губами неуправляемый вихор.

— Засыпаешь?

— Нет.

Рэнди улыбнулась, увидев красноречивый зевок Скотта.

Супружеские пары начали созывать детей и удаляться в темноту, расходясь в разные стороны от костра. Рэнди увидела, как Эрни склонился и прошептал на ухо Лите нечто, заставившее ее стыдливо опустить ресницы. Эрни подтолкнул Донни к их хижине, взял Литу за руку и последовал за мальчиком.

Ястреб тоже наблюдал за Эрни. Заметив выразительный взгляд Рэнди, он чуть усмехнулся.

— Наш Эрни очень темпераментный мужчина.

— Значит, из-за этого он и женился на женщине гораздо моложе себя?

Уголок губ Ястреба вновь дрогнул в улыбке.

— Только отчасти. Первая жена Эрни умерла вскоре после рождения Донни. От нее у Эрни есть еще трое детей. Все они уже взрослые. Лита была сиротой и нуждалась в защите, а Эрни был одинок, и ему требовалась жена. — Он многозначительно пожал плечами. — Брак оказался удачным.

Эрни склонился к Лите, бережно обняв ее за плечи. Рэнди привыкла к тому, что обычно индейцев изображали мужественными, суровыми, бесстрастными людьми, умело скрывающими свои чувства, и потому была изумлена, увидев, как открыто Эрни проявляет нежность к молодой жене. Она объяснила причину своего удивления Ястребу.

— Мужество измеряется не грубостью, а добротой мужчины к своей женщине.

— Вы и вправду так считаете? — удивленно переспросила Рэнди, услышав от Ястреба столь неожиданное заявление.

— У меня нет женщины, и потому какая разница, как я считаю? Просто для общества лучше, чтобы женщины не чувствовали себя существами второго сорта.

— Но разве в древности в индейских племенах не процветал половой шовинизм?

— А разве так было не везде?

Рэнди кивнула, вынужденная согласиться с ним.

— И разве с тех пор ничто не изменилось?

— Изменилось, — подтвердила Рэнди. — Просто я удивилась, узнав, что вы не придерживаетесь традиций.

Он чуть заметно пожал плечами.

— Некоторых традиций следует придерживаться. Но что хорошего в обществе, половина представителей которого считается пригодной лишь для того, чтобы готовить еду, стирать и рожать детей?

Он казался человеком проницательным и умным, мысль которого совершает больше поворотов и изгибов, чем горная дорога. Но Рэнди слишком устала, чтобы следовать по этой дороге. Она вновь перевела взгляд на Эрни и Литу и смотрела вслед, пока мрак не поглотил их.

— Похоже, они крепко любят друг друга.

— Она удовлетворяет его в физическом смысле, а он — ее.

— Я имела в виду любовь, выходящую за рамки физических взаимоотношений.

— Такой любви не существует.

Рэнди бросила на Ястреба осторожный взгляд. Он только что подтвердил ее подозрения насчет своих личных отношений, особенно с женщинами.

— Вы не верите в любовь?

— А вы?

Она вспомнила предательство Мортона, вспомнила, сквозь какой ад ей пришлось пройти во время бракоразводного процесса, и честно ответила Ястребу:

— В идеале — да, я верю в любовь. Но в реальности, пожалуй, нет. — Она коснулась прохладной, гладкой щеки Скотта. Он уснул, привалившись к ее груди и приоткрыв рот. — Я верю в любовь между матерью и ребенком.

Ястреб пренебрежительно фыркнул:

— Ребенок любит мать потому, что она кормит его. Сначала грудью, потом — из рук. Но, едва научившись кормиться сам, он перестает любить мать.

— Скотт любит меня, — с жаром возразила Рэнди.

— Он еще зависит от вас.

— Значит, как только он перестанет нуждаться во мне, он меня разлюбит?

— Его потребности изменятся. Мальчик нуждается в молоке. Взрослый мужчина — в сексе. — Ястреб кивнул в сторону спящего ребенка. — Он найдет женщину, которая даст ему то, что он хочет, и будет успокаивать собственную совесть, уверяя, что любит ее.

Рэнди ошарашенно уставилась на него.

— В чем же, согласно вашей извращенной философии, состоят потребности женщины после того, как она вырастает и перестает нуждаться в материнском молоке?

— В защите. Привязанности. Внимании. Муж удовлетворяет потребность женщины иметь свое гнездо. Это и сходит за любовь. Женщина позволяет мужчине каждую ночь пользоваться ее телом в обмен на защиту и детей. Если им повезет, каждый из них получит в сделке то, что хочет.

— Какой вы прагматик, Ястреб О'Тул! — воскликнула Рэнди, недоверчиво покачивая головой.

— Вы совершенно правы. — Внезапно он встал. — Пойдемте.

Взяв Рэнди за предплечья, он поставил ее на ноги вместе со Скоттом, которого она держала на руках, и одеялом. Движение было таким неожиданным, что Рэнди потеряла равновесие. Ястреб поддержал ее, чтобы она не упала.

Рэнди порадовалась тому, что спящий Скотт не позволил Ястребу приблизиться к ней. Вечер произвел на нее поразительное воздействие, острая еда, трогательные мелодии, свежий ветер, теплое одеяло — все это разбудило ее чувства. Беседа с Ястребом, особенно ее сексуальный подтекст, усилила возбуждение и беспокойство, стремящиеся вырваться наружу.

Она с раздражением осознавала близость этого сильного мужчины, пока они шагали в темноте к хижине, изредка сталкиваясь бедрами. Локтем Ястреб иногда задевал грудь Рэнди.

Они уже почти достигли хижины, как вдруг из мрака выскользнула тень и остановилась, преграждая им путь. Рука Ястреба метнулась к ножнам на поясе и выхватила нож.

Тень шагнула вперед, в полосу света от костра. Рэнди вздохнула с облегчением, узнав Январскую Зарю. Но Ястреб, казалось, был не рад видеть девушку. Он обратился к ней строгим тоном. Судя по интонации, она попыталась возразить. Ястреб сказал что-то еще, подчеркивая свои слова нетерпеливыми жестами. Девушка метнула в сторону Рэнди взгляд, исполненный ненависти, отвернулась и скользнула в темноту.

Поднявшись на крыльцо, Рэнди вошла в хижину, осторожно прошла по грубому дощатому полу к кровати Скотта, уложила его и укрыла одеялом. Прежде он никогда не спал в одежде, а теперь засыпал одетым третью ночь подряд.

Наконец, подоткнув одеяло со всех сторон, Рэнди повернулась к открытой двери. Ястреб стоял неподвижно, как каменное изваяние, вглядываясь в ночь.

— Она ушла? — спросила его Рэнди.

— Да.

— Что она здесь делала?

— Ждала.

— Чего?

— Посмотреть, как вы войдете в хижину.

— Сомневаюсь, что она беспокоилась о моей безопасности и благополучии, — саркастически заметила Рэнди. — Вероятно, она решила, что вы намерены переспать со мной.

— Она права.

Рэнди вскинула голову, не зная, шутит ли Ястреб или говорит серьезно. Он не шутил. Когда он повернулся и взглянул на нее сверху вниз, его лицо напряглось. Одним движением он притиснул Рэнди к дверному косяку.

— Вам придется сначала убить меня, — еле слышно выговорила она.

— Вряд ли. — Он дотронулся легким волнующим поцелуем до ее губ.

— Через минуту вы согласитесь отдаться мне в обмен на безопасность своего сына, миссис Прайс.

— Вы не причините вреда Скотту.

— Но вы в этом не уверены.

С трудом сглотнув, она попыталась отвернуться.

— Вам придется взять меня силой.

Ястреб с намеком прижался к ней нижней частью тела.

— Не думаю. Сегодня я наблюдал за вами. Некоторые наши обычаи оказали на вас особое воздействие. Сейчас ваша кровь не менее горяча, чем моя.

— Нет!

Сдавленный протест Рэнди он заглушил поцелуем, заставляя ее приоткрыть губы. Проворный язык Ястреба завладел ее ртом быстрыми, легкими толчками, которые сменились восхитительными неторопливыми движениями, напоминающими совсем о другом.

Тяжело дыша, он оторвался от ее губ и впился в шею, втягивая тонкую, нежную кожу губами.

— Вам понравилось сидеть на земле и видеть над головой ночное небо. Вам понравилось кутаться в одеяло, чтобы согреться.

Проведя поцелуями дорожку вниз по шее Рэнди, он запечатлел яростный поцелуй на гладком склоне ее груди.

— Вы полюбили нашу музыку, ее древние, языческие, соблазнительные напевы. Вы ощутили ее волнующий ритм вот здесь. — Он приложил ладонь к ее левой груди, лаская ее сначала агрессивно, а затем все нежнее, слегка потирая затвердевший сосок.

Внутренний голос Рэнди настойчиво повторял: «Нет, нет, нет!» Но когда Ястреб вновь завладел ее губами, она жадно ответила ему, потянувшись языком к его языку. Она запустила пальцы в его густые темные волосы. Скользнув ладонями по ее спине, Ястреб обхватил ягодицы и прижал ее тело к своему так, что она не могла не почувствовать его сильнейшего возбуждения.

Неожиданно он застонал:

— Почему я так хочу тебя?

«Сознает ли он, что задал вопрос вслух?» — подумала Рэнди. О том же она могла спросить себя. Почему ее тело отзывается на эти прикосновения, когда ей полагается не испытывать никаких чувств, кроме отвращения? В какой момент страх сменился желанием? Почему ей хочется прижаться к нему, а не оттолкнуть?

Он торопливо выдохнул:

— Я хочу тебя. — И Рэнди задрожала от возбуждения, а не от омерзения. — Будь ты проклята! — выпалил он. — Ты — мой враг. Я ненавижу тебя. Но я тебя хочу. — Пробормотав еще какое-то гортанное слово на родном языке, он издал полный страсти стон и снова положил руку на талию Рэнди, привлекая ее к себе.

Но уже в следующую секунду Ястреб оттолкнул ее и вытер рот тыльной стороной ладони.

— Сколько мужчин у тебя было до меня? — рявкнул он. — Сколько мужчин пожертвовали своей гордостью и чистотой ради нескольких минут сладкого забвения между твоими бедрами? — Он отпрянул от нее, словно боясь запачкаться. — Нет, я не настолько слаб, миссис Прайс!

Развернувшись, он пересек веранду и спустился с крыльца. Рэнди на непослушных, подгибающихся ногах ушла в хижину, захлопнула за собой дверь и без сил прислонилась к ней. Закрыв лицо ладонями, она коротко и часто всхлипнула без слез. Внутри все ныло от неутоленного желания. В то же время она испытывала отвращение к самой себе.

Содрогаясь от ярости, Рэнди вспоминала несправедливые обвинения Ястреба.

Как он посмел упрекать ее, не зная правды? Как посмел целовать, если думает о ней так плохо?

И почему она отвечала на поцелуи?

Наконец Рэнди опустила руки и уставилась в темноту комнаты, которую рассеивал только тусклый лунный свет, льющийся сквозь окно.

В одном она была абсолютно уверена: нельзя ждать, пока Мортон выполнит условия индейцев. Пришло время брать инициативу в свои руки. Ради блага Скотта и своего собственного надо как можно скорее бежать от Ястреба О'Тула.

Она разработала план побега, но он настолько зависел от всевозможных случайностей, что едва ли мог считаться продуманным. Все в нем решала цепь мелких совпадений, слишком во многом Рэнди полагалась на удачу. Однако ничего лучшего ей придумать не удалось. Желая действовать немедленно, пока решимость в ней не ослабла, она намеревалась рискнуть, но осуществить свой план.

Этот план вызрел в ее голове после нескольких часов вышагивания по хижине. Рэнди порадовалась неожиданной вспышке памяти. Неизвестно по какой причине она вдруг вспомнила, что видела, как юноша, которого Ястреб назвал Джонни, вышел из сарая, и сообразила, что внутри стоят машины.

Позднее, вечером, она заметила, как Джонни выскользнул из сарая, прижимая к груди бутылку виски. Насколько ей было известно, Ястреб ничего не видел. Вместо того чтобы присоединиться к остальным за ужином, Джонни скрылся в темноте вместе с бутылкой.

Пристрастие этого юноши к спиртному было трагедией. Рэнди с досадой думала о том, что придется сыграть на чужом горе, но это был ее единственный жалкий шанс. Вполне разумно было предположить, что Джонни пренебрег своими обязанностями и оставил ключи по крайней мере в одной из машин, с которыми работал сегодня.

Если ей удастся пробраться в сарай незамеченной, если она обнаружит машину с ключами, если машина окажется исправной, если она заведется, возможно, ей удастся отъехать достаточно далеко, прежде чем ее хватятся.

Рэнди было о чем задуматься. Она не знала, где находится, хотя догадывалась, что где-то в северо-западной части штата, где местность была более гористой. Она не знала, насколько хватит топлива в машине. Ее деньги остались в сумочке, а сумочка — в поезде. Но со всеми этими затруднениями можно было справиться, если возникнет необходимость. Прежде всего требовалось сбежать из поселка.

Чтобы привести свой план в исполнение, она выбрала предрассветный час, вспомнив, как читала где-то, что за час до рассвета сон бывает особенно крепким. Ястреба О'Тула нельзя причислять к обычным людям, но она не могла допустить, чтобы такая мелочь лишила ее решимости. Кроме того, ей требовалась темнота, но вместе с тем предрассветная — чтобы видеть, что она делает и куда едет. Рэнди не хотелось включать фары — значит, придется рассчитывать на естественный свет.

Первым препятствием, с которым она столкнулась, стала необходимость разбудить Скотта. Он хныкал и зарывался в одеяло, пока она пыталась растолкать его. Рэнди не хотелось пугать ребенка, но на счету была каждая минута.

— Скотт, дорогой, прошу тебя, проснись, — мягко настаивала она, и мальчик в конце концов сел, не переставая хныкать. — Тише, тише! — убеждала его Рэнди, поглаживая по спине. — Знаю, сейчас рано, но ты должен проснуться немедленно. Ну, сделай это для мамы. Это очень важно.

Он протестующе забормотал и принялся тереть грязными кулачками глаза. С трудом сохраняя самообладание, она отказалась от мысли сделать ему замечание — вероятно, оно вызвало бы слезы. Вместо этого Рэнди решила воззвать к жажде приключений.

— Сейчас мы поиграем с Ястребом, — прошептала она.

Мальчик перестал кукситься. Вытянувшись в струнку, он заморгал.

— Поиграем?

«Господи, прости мне эту ложь», — мысленно взмолилась Рэнди. Она никогда не лгала сыну, какой бы неприятной ни была правда. Она надеялась только, что Скотт будет настолько рад возвращению домой, что простит ее.

— Да, но в эту игру играют бесшумно. Ты не должен издавать ни звука. Ты же знаешь — индейцы все слышат.

— Когда они в лесу, они слышат зверей в своих норах, насекомых под землей и все такое?

125

— Правильно. И ты должен вести себя очень-очень тихо, иначе Ястреб найдет нас и игра будет окончена.

— Так мы играем в прятки? И Ястреб будет нас искать?

— Да, он наверняка будет нас искать. — На этот раз Рэнди не солгала.

Одев сына в курточку, одолженную у Донни, Рэнди завязала шнурки на его теннисных туфлях. Через окно она попыталась разглядеть охранника и наконец заметила закутанную в одеяло массивную фигуру, привалившуюся к ближайшему дереву. Очевидно, часовой заснул во время вахты. До сих пор бог отвечал на ее молитвы.

— А теперь послушай, Скотт, — заговорила она, присев на корточки перед сыном. — Сначала мы должны пробраться мимо охранника. Я понесу тебя. Но пока мы не пройдем мимо, надо молчать. Тебе нельзя говорить даже шепотом, понятно? — Скотт уставился на нее огромными от возбуждения глазами. — Скотт, ты понял меня?

— Ты же сказала, что мне нельзя говорить даже шепотом.

Рэнди улыбнулась и крепко обняла сына.

— Молодец!

Подхватив его на руки, она осторожно открыла дверь. Петли визгливо заскрипели. Застыв, Рэнди подождала несколько минут, пока не убедилась, что часовой не проснулся.

Она шагнула на веранду. Массивная фигура под деревом не шевелилась.

Рэнди торопливо спустилась с крыльца. На тропе она старалась не потерять равновесие и не споткнуться о торчащие из земли камни. Только очутившись в ста ярдах от хижины, она осмелилась вздохнуть свободнее, а затем припустила бегом, ухитряясь держаться в тени. Где-то дважды гавкнула собака, но Рэнди не останавливалась, пока не достигла сарая.

Внутри царил адский мрак. Разжав руки, она поставила Скотта на грязный пол.

— Постой здесь, у двери, а я поищу машину.

— Мне здесь не нравится. Здесь плохо пахнет и темно. Я хочу спать, мама. Мне холодно.

— Знаю, знаю. — Она ласково погладила его по щеке. — Ты такой храбрый мальчик. Не знаю, что я буду делать, если ты не посторожишь меня здесь, у двери.

— Значит, я часовой? Я стою на страже?

— Да, ты — часовой.

Подумав, мальчик недовольно заявил:

— Ладно, но лучше бы мы поиграли во что-нибудь другое. Давай поскорее закончим игру.

— Скоро она закончится, обещаю.

Оставив Скотта у двери и взяв с него обещание не покидать пост, Рэнди отправилась на поиски машины с оставленными ключами. Ей повезло: ключи оказались во второй из проверенных машин. Это был грузовик. Насколько она могла судить в темноте, машина предназначалась для перевозки грузов — кузов был с высокими деревянными бортами.

Некоторое время она размышляла, не стоит ли продолжить поиски, чтобы найти машину поменьше, более маневренную, но решила, что время дорого — небо снаружи светлело с каждой минутой.

Вернувшись за Скоттом, она посадила его в кабину грузовика. Он был явно недоволен:

— Думаешь, Ястреб отыщет нас в этой машине?

— Это его задача, а наше дело — выбраться из поселка так, чтобы он нас не заметил.

Но прежде требовалось проверить мотор, рискуя разбудить шумом всю деревню. Рэнди надеялась, что Джонни успел отремонтировать машину до того, как снова приложился к бутылке. Отчаянно помолившись и вытерев потные ладони о рубашку, она потянулась к ключу зажигания и повернула его.

Машина взревела громче, чем ракета при запуске. Двигатель завыл, набирая обороты. Выжав сцепление и переключив скорость, Рэнди мысленно молила: «Ну давай! Пожалуйста, давай!»

Машина пробудилась к жизни так внезапно, что мгновение Рэнди не могла оправиться от шока. Повернувшись к Скотту, она выговорила:

— Машина завелась.

— Но ты же сама этого хотела, мама.

— Да, просто... Впрочем, неважно. Давай попробуем выехать, никого не разбудив.

— А можно я позову Донни поиграть с нами?

— Нет.

— Ну пожалуйста!

— В другой раз, Скотт.

Услышав ее непреклонный тон, мальчик надулся. Рэнди тут же пожалела о своей резкости, но не могла позволить себе сейчас вступить в спор. С трудом переключив тугой рычаг, она слегка надавила на педаль газа и осторожно отпустила сцепление. Машина сдвинулась с места.

Выезжая из дверей сарая, Рэнди ожидала наткнуться на шеренгу вооруженных до зубов индейцев, но поселок, очевидно, безмятежно спал. Закусив нижнюю губу, она с трудом повернула машину и пустила ее на первой скорости вперед, к выезду из поселка.

Она с трудом удержалась, чтобы не показать язык хижине Ястреба, когда проезжала мимо. Управление чудовищной машиной требовало от нее напряжения всех сил, она не переставала оглядываться по сторонам, ожидая засады. Несмотря на утреннюю прохладу, по телу Рэнди струился пот. Ее пальцы рефлекторно сжимались на руле. Все мышцы нервно подрагивали.

Наконец-то впереди показались ворота, преграждающие скоту путь за территорию поселка. К счастью, они оказались открыты. Она переключилась на вторую скорость и прибавила газ, а как только грузовик выехал за ворота, еще сильнее надавила на педаль. Двигатель взревел, но Рэнди выжимала из него всю возможную скорость, устремляясь вперед.

— Мама, мы далеко уедем, пока Ястреб нас не найдет?

— Не знаю, дорогой.

Она смахнула рукавом пот со лба. Дорога была сплошь в колдобинах, на каждой из них грузовик подскакивал, но Рэнди чувствовала такое облегчение, словно с нее свалился громадный камень.

— Скотт, Скотт, получилось! — радостно выкрикнула она.

— Мы выиграли?

— Пожалуй, да. Пока победа за нами.

— Хорошо. А теперь мы вернемся?

Смеясь, она потянулась к сыну и взлохматила ему волосы.

— Не все сразу.

— Но я хочу есть.

— Тебе придется немного потерпеть. Игра еще не совсем кончилась.

Она проехала несколько миль. Дорога казалась бесконечной. В конце концов, должна же она куда-то вести, убеждала себя Рэнди. Если верить восходящему солнцу, она двигалась на восток. Хорошо это было или нет, Рэнди не знала. Прежде всего ей нужно добраться до шоссе, а дальше все будет просто.

Солнце взметнулось над вершиной горы, словно им кто-то выстрелил, на миг ослепив Рэнди. Она подняла левую руку, заслоняя глаза. Но когда Рэнди снова обрела способность видеть, еще несколько секунд она считала, что зрение сыграло с ней злую шутку.

— Это Ястреб! — закричал Скотт, вставая на колени. Схватившись за приборную доску, он запрыгал на месте от нетерпения. — Он нашел нас! Видишь, какой он хитрый, мама? Он следопыт! Я так и знал, что он нас найдет! Эй, Ястреб, мы здесь!

Рэнди рванула руль в сторону. Грузовичок вильнул, чуть не задев всадника, стоящего посреди дороги. Ни человек, ни лошадь, казалось, не беспокоились о том, что машина может сбить их. Они словно замерли на месте.

Тучи пыли вырвались из-под колес машины, когда она резко, почти истерично взвизгнув тормозами, остановилась. Не дожидаясь остановки, Скотт распахнул дверцу и бросился к Ястребу, который уже успел спешиться. Сложив руки на руле, Рэнди подавленно уронила на них голову. Горечь поражения была слишком сильной, особенно по сравнению с той радостью, которую она испытала всего несколько минут назад, думая, что их побег удался.

— Выходите.

Она подняла голову. Ястреб стоял у открытого окна. Прошипев приказ, он рванул дверцу, стиснул локоть Рэнди и вытащил ее из машины. Несколько всадников присоединились к ним, в том числе вездесущий Эрни. Скотт приплясывал на месте, открыто радуясь тому, как далеко он сумел отъехать вместе с мамой, прежде чем его нашли.

— Мама сказала, что шуметь нельзя, потому что индейцы все-все слышат. Я был часовым, пока она искала машину. А потом мы уехали и никого не разбудили. Но я знал, что вы нас найдете! — Развернувшись, он бросился к Ястребу и обнял его за ноги. — Тебе понравилась игра?

Ястреб перевел ледяной взгляд с бледного лица Рэнди на ее сына.

— Да, игра была замечательная. Но у меня есть для тебя кое-что получше. Хочешь вернуться в поселок верхом? — Он указал на пони, привязанного к луке седла Эрни.

Скотт вытаращил глаза и открыл рот от неожиданности.

— Это правда? — не веря своим глазам, прошептал он.

Ястреб кивнул.

— Эрни поведет его в поводу, но сидеть в седле ты будешь сам.

Прежде чем Рэнди успела высказать свое мнение, Ястреб подсадил Скотта в маленькое седло. Мальчик вцепился в луку побелевшими от напряжения пальцами. Он неуверенно улыбался, но его глаза сияли.

Ястреб коротко кивнул Эрни. Всадники развернули коней и шагом двинулись в сторону поселка. Вот они перевалили за гребень холма и скрылись из виду.

Оставив каблуком глубокую вмятину в земле, Ястреб развернулся и застыл, глядя в лицо Рэнди.

— Вы сделали чертовски досадную тактическую ошибку, миссис Прайс.

Она не думала сдаваться и резким жестом вздернула подбородок.

— Пытаясь сбежать от похитителей моего сына?

— Пробудив во мне худшие качества.

— Это было нетрудно, поскольку лучших качеств у вас нет.

— Предупреждаю, не раздражайте меня.

— Я не боюсь вас, Ястреб О'Тул.

Он обвел неторопливым взглядом ее фигуру, пока их глаза не встретились вновь.

— Напрасно, — произнес он.

Сдержанным и точным движением он перебросил правую ногу через спину лошади. Рэнди только сейчас заметила, что лошадь не оседлана. Ястреб сжал коленями бока лошади. Рэнди шагнула к грузовичку.

— Куда это вы? — поинтересовался Ястреб.

— Я отведу машину обратно.

— Это сделает Джонни.

Она вспыхнула и отступила назад.

— Значит, мне вновь придется ехать верхом вместе с вами?

Он пригнулся к шее лошади и со злой усмешкой сказал:

— Нет. Вы пойдете пешком.

7

—Пешком?!

— Вот именно. Идите вперед. — Он сжал бока лошади коленями и подъехал к ней вплотную.

— Но... до поселка несколько миль!

Она указала пальцем в ту сторону, откуда приехала. Ястреб прищурился, словно высчитывая расстояние.

— Пожалуй, отсюда будет мили две с половиной.

Рэнди подбоченилась; в глазах ее горел вызов.

— Никуда я не пойду. Я не сдвинусь с места, если только вы не примените силу. Я дождусь, когда Джонни придет за машиной, и приеду с ним.

— Я уже не раз советовал вам: не стоит недооценивать меня. — Во вкрадчивом голосе Ястреба появились угрожающие нотки. — Вы уже однажды воспользовались оплошностью Джонни. Да, я видел, как вы наблюдали за ним вчера вечером. Я так и знал, что вы что-то задумали. Вы хотите еще раз обвести несчастного парня вокруг пальца? Должно быть, пообещать ему сколько угодно виски? Нет, это не в вашем стиле: скорее вы предложите ему за вашу свободу услуги иного рода.

— Вы негодяй! Как вы смеете так говорить обо мне?

— А как вы смеете считать меня и мой народ безмозглыми олухами? Неужели вы и вправду надеялись проскользнуть мимо меня незамеченной?

— Мимо вас? Значит, это вы спали под деревом?

— Да, я. Только я не спал. И с трудом сдерживался, чтобы не расхохотаться.

— Думаю, вам это было нетрудно, — ехидно заметила она.

Укол достиг цели. Челюсти Ястреба сжались.

— Я всласть посмеялся после того, как вы уехали. Если бы благодаря вам я не развлекся сегодня утром, я оставил бы вас здесь на съедение грифам. Пожалуй, так и следует поступить: лучшей участи вы не заслуживаете. Что это за мать, которая под предлогом игры обманывает ребенка?

— Мать, отчаявшаяся отнять сына у преступника, фанатика, безумца! — выпалила Рэнди в ответ.

Ястреб бесстрастно мотнул подбородком в сторону поселка:

— Идем.

Рэнди застыла на месте. Лицо ее пылало от ярости. Она стояла бы здесь до скончания века, если бы не Скотт. Каждый раз, когда его не было рядом, Рэнди теряла голову. Пока они были вместе, она еще могла как-то уберечь его. Но теперь, когда их разлучили, Рэнди была не в состоянии думать о чем-нибудь, кроме грозящей Скотту опасности.

Взметнув столб пыли, она развернулась и зашагала в сторону поселка, не глядя под ноги и спотыкаясь о камни. Рэнди шагала бы помедленнее, если бы не слышала за собой стук конских копыт. Глаза Ястреба, казалось, прожигают дыру в ее спине. Как хищная птица, имя которой он носил, Ястреб не выпускал ее из виду. Рэнди изо всех сил старалась не показать своей неловкости и растерянности, охвативших ее под этим пристальным взглядом. Гордость подталкивала ее вперед.

Она старалась не замечать ни волдырей на ногах, ни пота, струящегося по телу, ни зудящего прикосновения волос к шее. С каждым шагом ее дыхание становилось все тяжелее. Она привыкла к нагрузкам, но не на такой высоте. В разреженном горном воздухе утомление наступало быстрее.

Ее губы стали такими же сухими, как пыль, клубящаяся у ног. Она проголодалась. Быстрый шаг вскоре утомил ее, голова закружилась. Линия горизонта начала покачиваться перед глазами.

Рэнди чуть не наступила на застывшую на дороге огромную ящерицу, не заметив ее, и вздрогнула, увидев, как та высовывает свой похожий на змеиный язык. Рэнди отскочила и пронзительно взвизгнула. Ящерица, испугавшись, метнулась под огромный камень. Лошадь Ястреба всхрапнула и стала нервно перебирать ногами, чуть не растоптав Рэнди. Рэнди закричала. Лошадь попятилась. Оступившись, Рэнди упала и едва успела откатиться подальше, чтобы не попасть под копыта.

— Не двигайтесь, черт бы вас побрал! — скомандовал Ястреб. — И прекратите визжать! — Орудуя коленями и руками, он ухитрился подчинить себе лошадь, не переставая ласково разговаривать с ней. Наконец, совладав с животным, Ястреб подъехал к Рэнди, которая не могла прийти в себя от испуга.

Склонившись, Ястреб схватил ее и поднял вверх.

— Перебросьте ногу, — велел он.

Рэнди была слишком перепугана, чтобы не послушаться его. Перекинув правую ногу через спину лошади, она вцепилась в густую гриву обеими руками. Юбка сбилась, открывая взгляду стройные бедра. Рэнди попыталась одернуть ее, чтобы прикрыть хотя бы колени.

— Оставьте юбку в покое.

— Но...

— Говорю вам, оставьте ее в покое!

Она всхлипнула:

— Неужели вы не успокоитесь, пока не унизите меня окончательно?

— Да. Я знаю толк в унижениях.

— Ястреб, прошу вас!..

— Довольно, — перебил он, приблизил губы к ее уху и зловеще прошептал: — Наслаждайтесь поездкой. Потом вам долго не выпадет таких приятных минут. — По-хозяйски положив руку на обнаженное бедро Рэнди, он сжал коленями бока лошади и пустил ее шагом. — Может, вас оскорбляет смуглая рука индейца, лежащая на вашем белом бедре?

— Не больше, чем оскорбила бы рука любого другого негодяя.

Подобие улыбки растянуло его сурово сжатые губы.

— Кого вы надеетесь обмануть? Если меня, то напрасно. Вас лапало слишком много негодяев.

Рэнди упрямо сомкнула губы. Она не собиралась платить за оскорбление тем же — это была бы пустая трата времени и сил. Пусть верит слухам, если ему так хочется. Многие обвиняли ее в неверности мужу. Она пережила их издевательства. Нельзя сказать, что ее гордость не была уязвлена, но она все вынесла. И точно так же вынесет оскорбления мистера О'Тула.

Лошадь неспешно брела вперед. Рэнди думала, что они никогда не достигнут поселка, но вскоре уловила запах дыма и еды. У нее громко заурчало в животе.

Не убирая ладонь с ее бедра, Ястреб сунул вторую руку за пояс юбки и прижал ее к животу Рэнди.

— Проголодались?

— Нет.

— Вы не только шлюха, но и врунья.

— Я не шлюха!

— Вчера ночью вы были готовы разыграть шлюху передо мной.

— Ничего я не разыгрывала!

— Вот как?

Его рука передвинулась ниже. Пальцы прошлись по кружевной вставке на трусиках — Рэнди переоделась в собственное белье, как только оно высохло. Ее реакция на прикосновение Ястреба оказалась невероятно острой. Рэнди ощущала, как желание зарождается в глубине ее тела. Она не сдержала вздох. Ее бедра, уже горячие и чувствительные от верховой езды, рефлекторно сжались. Пальцы зарылись глубже в роскошную конскую гриву.

Ястреб продолжал водить пальцами по кружеву. С губ Рэнди слетел невольный стон.

— Не надо, пожалуйста!

Он убрал руку. Если бы Рэнди повернулась и взглянула в лицо Ястребу, она увидела бы, что кожа натянулась на его скулах, губы вытянулись в одну жесткую линию, глаза лихорадочно горели.

140

— Я остановился только по одной причине: не хочу, чтобы кто-то увидел, как я ласкаю вас, и спутал мое презрение с желанием.

Очевидно, индейцы племени хорошо разбирались в настроении вождя, поскольку никто не посмел подойти к лошади или окликнуть всадника. Рэнди огляделась, но нигде не заметила ни Скотта, ни Эрни. Ястреб направил лошадь к своей хижине и ловко соскользнул с ее гладкой спины.

— А я думала, вы отвезете меня ко мне в хижину, — заметила Рэнди.

— Вы ошиблись. — Протянув руки, он схватил ее за перед рубашки и стащил с лошади. Рэнди заковыляла по каменистой тропе.

— Неужели вы считаете эту грубость необходимой?

— Да.

— Уверяю вас, вы заблуждаетесь.

— Я согласился бы, если бы вы не пытались сбежать. Если уж вы отважились на побег, то должны были действовать наверняка.

Язвительный тон Ястреба больно уколол ее. От толчка в спину Рэнди буквально влетела в дверь хижины, натолкнулась на стол в центре комнаты и развернулась, готовая к схватке. Но ее смелость мгновенно улетучилась, едва она увидела, как Ястреб приближается к ней с ножом в руках.

— О господи! — выдохнула она. — Если вы убьете меня, не показывайте Скотту труп!

Пообещайте хотя бы это, Ястреб! И потом... — Она умоляюще сложила руки. — Не трогайте моего сына. Ведь он еще ребенок! — Из глаз Рэнди брызнули слезы. — Прошу вас, не трогайте моего сына!

Внезапно придя в ярость, она бросилась на Ястреба и начала колотить его по груди кулаками. Швырнув нож на стол, Ястреб схватил ее руки и скрестил их за спиной, удерживая на уровне талии. В таком положении Рэнди не могла даже пошевелиться, не говоря уж о борьбе.

— За кого вы меня принимаете? — спросил он, чеканя каждое слово. — Я не трону мальчика. Я не собирался причинять вред ни одному из вас. Это не входит в условия сделки. И он знает об этом...

Рэнди вскинула поникшую было голову и впилась в него взглядом, недоверчиво переспросив:

— Он?

Гневная гримаса исчезла с лица Ястреба с поразительной быстротой. Он овладел собой, и лицо его превратилось в непроницаемую маску, а глаза словно застыли.

— Он? — снова выкрикнула Рэнди. — Кто?

— Неважно.

— Мортон? — выдохнула она. — Значит, в этом замешан мой муж? О господи! Неужели Мортон подстроил похищение собственного сына?

Ястреб неожиданно отпустил ее запястья, взял нож и принялся разрезать вдоль кожаный ремешок. Рэнди следила за его порывистыми движениями, словно пытаясь разглядеть в них подтверждение своей догадки.

Эта мысль показалась бы Рэнди нелепой, если бы она не знала Мортона. Но она догадалась, что подвигло ее бывшего мужа на такой шаг. С тех пор как состоялось похищение, его имя не сходило с первых полос всех газет штата. Мортон был явно доволен. Он наслаждался бесплатной рекламой. Он был готов выдоить из нее все возможное, не останавливаясь ни перед чем, рискуя даже благополучием сына.

— Ответьте мне, черт возьми! Скажите правду! — Она вцепилась в рукав Ястреба. — Я не ошиблась? Мортон — ваш сообщник?

Ястреб вновь заломил ей руки за спину и принялся обматывать их отрезанной полоской кожи. Рэнди даже не пыталась сопротивляться. Мысль о том, что Мортон замешан в этой гнусной махинации, вытеснила из ее головы все остальное. Она думала лишь о том, как убедительно Мортон разыгрывал беспокойство по телефону, дрожащим голосом умоляя сказать, все ли в порядке со Скоттом. Но эта тревога была показной, насквозь фальшивой.

Рэнди уставилась в глаза Ястребу, но в них ничего нельзя было прочесть. Связав ее запястья, он взял вторую полоску кожи и повел

Рэнди к койке. Она имела деревянную раму и была прочнее и длиннее, чем кровати, на которых спали Рэнди и Скотт. Ястреб пропустил ремень через спинку кровати и завязал его на руках Рэнди несколькими узлами. Она сразу поняла, что распутать их не сможет.

Отступив, Ястреб изо всех сил подергал за ремень. Он не поддался ни на дюйм. Удовлетворенно кивнув, индеец направился к двери.

— Постойте! Не смейте уходить, не ответив! — Ястреб медленно обернулся и пронзил Рэнди взглядом голубых глаз. — Вы задумали это похищение вместе с Мортоном?

— Да.

Рэнди показалось, что на нее обрушилась неимоверная тяжесть. Она не могла дышать. Теперь, услышав правду, она не могла поверить собственным ушам.

— Но зачем? — недоверчиво прошептала она. — Зачем?

— Вам будут время от времени приносить воду, — уклонился от ответа Ястреб. — Поскольку вы пропустили завтрак, вам придется ждать ужина.

Только в этот миг Рэнди наконец-то осознала, что она связана и совершенно беспомощна. Неужели знание того, что в преступлении замешан Мортон, подвергло ее еще большей опасности?

— Вы не посмеете оставить меня здесь в таком виде! Развяжите меня!

— Ни в коем случае, миссис Прайс. Мы уже пытались договориться с вами по-хорошему, а вы злоупотребили моей доброжелательностью.

— Доброжелательностью?! Вы сделали меня заложницей! — выкрикнула она. — Если бы мы поменялись местами, разве вы не попытались бы сбежать?

— Попытался бы и непременно добился успеха.

Уязвленная, она попробовала другой подход:

— Я не хочу, чтобы Скотт видел меня привязанной к кровати, мистер О'Тул. Он испугается.

— Поэтому он и не увидит вас.

Кровь отхлынула от лица Рэнди.

— Что вы хотите этим сказать? — спросила она охрипшим от ужаса голосом.

— Отныне он будет жить с Эрни, Литой и Донни.

Рэнди неистово замотала головой. Слезы подступили к ее глазам.

— Не надо! Прошу вас, не надо так! — Ни один мускул на лице Ястреба не дрогнул. — Если вам наплевать на меня, подумайте о Скотте. Он будет скучать обо мне. Он захочет меня увидеть, будет спрашивать, где я...

— Когда он спросит, его приведут сюда. На это время вас развяжут. Но пока Скотт будет с вами, вы станете говорить только то, что я разрешу.

— Вы уверены?

— Абсолютно, — невозмутимо откликнулся он.

— Вы разлучили меня со Скоттом. Чем еще можно наказать меня?

— Как вы уже поняли, похищение задумал Прайс. Никто из нас не думал, что вы примете в нем участие. В том, что происходит с вами, вините только собственное безрассудство.

— Вот как?

— Безопасность Скотта гарантирована, потому что он дорог члену палаты представителей Прайсу. — Ястреб окинул ее презрительным взглядом. — А на неверную жену ему наплевать.

— Он ни за что не выполнит свою часть сделки. — Она рассеянно водила вилкой по жестяной миске. Раздраженная тем, что Ястреб пропустил ее замечание мимо ушей, она отшвырнула вилку. Звон заставил Ястреба поднять голову. — Вы слышали, что я сказала?

— Вы сказали, что Прайс ни за что не выполнит свою часть сделки.

— Разве это вас не волнует?

Ястреб отложил вилку и отодвинул свою миску. Обхватив обеими ладонями кружку, он поставил локти на стол и пригубил кофе.

— Это вы так говорите. У меня нет причин вам верить.

— Вы просто не хотите верить.

Он зло прищурился.

— Правильно. Потому что, если Прайс не сдержит обещание, у меня не будет причин держать вас здесь. Я буду вынужден... избавиться от лишних проблем.

— А Скотт? — потрясенно выговорила Рэнди.

— Он скоро забудет вас. Он уже привык к нам. Дети жизнерадостны. Через год он станет похожим скорее на индейца, чем на англичанина. — Растерянность Рэнди, очевидно, не произвела на него ни малейшего впечатления. Он небрежно махнул рукой. — Конечно, Скотт — это еще один лишний рот, еще один ребенок, которого надо одевать и учить, очередная ответственность, возложенная на племя. Я бы предпочел, чтобы Прайс оказался верен своему слову.

Деловитый тон Ястреба вселил в Рэнди страх гораздо успешнее, чем это сделала бы любая ярость. Прошло немало времени, прежде чем она сумела выговорить:

— Что же пообещал вам Мортон, вождь О'Тул?

— Замолвить за нас слово перед губернатором. Он будет настаивать на том, чтобы на руднике «Одинокая пума» возобновили работу.

— Об этом мне уже известно. Но в обмен на что?

— На рекламу, созданную этим фальшивым похищением.

— Для меня оно стало отнюдь не фальшивым, — возразила Рэнди, кладя руки на стол так, чтобы Ястреб увидел красные рубцы на запястьях, оставленные ремнями. Ястреб взял ее руку и поднес поближе к лицу, пристально разглядывая рубцы. Он легко провел большим пальцем по вспухшей коже, и Рэнди, отдернув руку, вскочила.

— Сядьте. — При всей мягкости голоса в его словах прозвучала неподдельная угроза.

— Я закончила.

— А я — нет. Сядьте.

— Боитесь, что я снова убегу? — язвительно осведомилась она.

Ястреб отставил кружку и повернулся к Рэнди, вложив во взгляд всю власть своих светлых глаз.

— Нет. Я боюсь, что вы по глупости принудите меня к поступку, которого я предпочел бы не делать.

— И избавлю вас от лишних проблем?

Рэнди вскочила со стула, но Ястреб молниеносно сорвался с места и схватил ее за плечо.

— Сядьте, — приказал он, нажав на плечо ладонью.

У Рэнди подкосились колени.

Как только она опустилась на стул, Ястреб сел на свое место и уставился на нее через стол.

— Ваш муж нашел выход, от которого выигрываем мы оба.

— Мой бывший муж.

Ястреб безразлично пожал плечами.

— Несколько месяцев назад я обратился к нему, поскольку прочитал в газетах, что он защищает индейцев.

— Потому, что это выгодно и модно, а не потому, что он искренне сочувствует вам. Он меняет принципы, когда ему вздумается. Вас ввели в заблуждение.

— Я изложил ему суть дела. Рудник принадлежит племени. — Лицо Ястреба потемнело, глаза стали отчужденными, словно он вдруг перенесся в другое место и время. Но внезапно они прояснились, взгляд сосредоточился на Рэнди. — Беда пришла, когда группа инвесторов перекупила его без нашего ведома. Представьте себе наше возмущение, когда мы узнали, что рудник закрыли без каких-либо прогнозов насчет возобновления работ.

— Почему его закрыли? Рудник приносил одни убытки?

— Убытки? Черт возьми, нет! — выпалил Ястреб. — Он приносил деньги. В том-то все и дело!

Рэнди растерянно покачала головой:

— Ничего не понимаю.

— Новые владельцы воспользовались рудником, чтобы избавиться от налогов, только и всего. Им было наплевать на то, что наша жизнь зависит от этого рудника. Эгоистичные ублюдки, — процедил он сквозь зубы. — Прежде они жонглировали цифрами, чтобы умаслить налоговую инспекцию, но расследования так и не избежали. Сначала они снизили нам нормы выработки. А потом решили, что наибольшую прибыль им принесет полное прекращение работ на руднике.

Он вышел из-за стола и направился к печке в углу. Открыв дверцу, подбросил в огонь несколько поленьев. В горах похолодало еще накануне вечером. Но Рэнди ни разу в жизни не испытывала такого холода, как в те минуты, когда Ястреб рассказывал о несправедливости, постигшей его народ, а она смотрела ему в глаза.

— А как же Бюро по делам индейцев?

— Бюро пыталось вмешаться, но у владельцев есть подписанный контракт и купчая. Юридически рудник принадлежит им, и они вольны распоряжаться им, как пожелают.

— И потому вы обратились к законодательной власти штата?

Он кивнул.

— Когда я встретился с Прайсом, он выслушал меня с сочувствием. Поскольку перед моим носом уже не раз хлопали дверью, это сочувствие само по себе кое-что значило. Он пообещал подумать, как можно нам помочь. — В голосе Ястреба послышалась горечь. — Его попытка не удалась, но он сказал, что отчаиваться не следует, что он попробует еще раз и найдет меня. — Вернувшись к столу, он сел на свое место. — Я уже думал, что он забыл про свое обещание, но несколько недель назад он обратился ко мне с этим предложением.

— С грязной махинацией.

— Он убедил меня, что это поможет.

— Он вас обманул.

— Мы оба должны выиграть.

— Он выиграет, а вас обвинят в преступлении.

— Прайс гарантировал, что это дело никогда не будет передано в суд.

— Такой властью он не обладает.

— Он говорил, что убедит губернатора Адамса вступиться за нас.

— Обвинение вам будет предъявлено федеральными властями. И если дело дойдет до этого, клянусь вам, Мортон палец о палец не ударит ради вашего спасения. Он будет начисто отрицать то, что вы заключили договор. Значит, поверить придется слову одного из вас. Но кто предпочтет поверить индейскому вождю с темным, если не криминальным прошлым, а не члену палаты представителей? Признайтесь, ваш рассказ прозвучит нелепо. Он покажется неправдоподобным даже человеку с самым богатым воображением.

— А чью сторону приняли бы вы, миссис Прайс?

— Свою собственную. Выбирая между вами двоими, я не сумела бы решить, кто хуже: обманщик или человек, которого он одурачил.

Ястреб вскочил, резко отодвинув стул, который жалобно заскрипел и рухнул на пол.

— Никто меня не дурачил! Прайс сдержит слово. Он знает, что Скотт у нас, но не знает где. Он любит сына. Если он захочет вернуть Скотта, он выполнит обещание.

Рэнди тоже вскочила, чтобы не смотреть на него снизу вверх.

— Вот ваша первая ошибка: вы уверены, что Мортон любит Скотта. Это просто смешно! — Она отбросила волосы со лба нетерпеливым взмахом руки. — Если бы он любил сына, неужели он добровольно согласился бы рисковать им? Использовать его как пешку в своей игре? Подвергать опасности его жизнь? Неужели вы согласились бы пожертвовать своим сыном?

Ястреб сжал губы, а Рэнди продолжала:

— Мортон Прайс любит только самого себя — запомните это, мистер О'Тул. Если он сам сделал вам предложение, если вся эта игра — его замысел, тогда он постарается извлечь из него все возможное, а потом умыть руки. Он добьется своего и свалит всю вину на вас. Расплачиваться придется вам, а не

Мортону. Он напуган предстоящими выборами, — добавила она. — Он боится поражения, и не без причины. Это похищение — отчаянный способ завоевать внимание и сочувствие избирателей. Кто не пожалеет страдающего отца, который тревожится о неизвестной судьбе единственного сына, — сына, который из-за несправедливых законов штата живет с развратной матерью? Он напомнит общественности обо мне и моей неверности. Он обвинит меня в халатности — по крайней мере отчасти. Заявит, что Скотта похитили по моей вине. — Она перевела дух. — Сколько времени у вас в запасе?

— Две недели. Мы тоже не хотим, чтобы дети пропускали занятия в школе.

— Значит, две недели его имя будет красоваться в заголовках газетных статей. — Рэнди язвительно усмехнулась. — Ничего другого Мортону и не надо. Он станет сенсацией каждой программы новостей. — Она потерла лоб, чувствуя приближение приступа головной боли. Затем она снова взглянула на Ястреба и, упершись ладонями в стол, подалась к нему. — Неужели вы ничего не понимаете? Он обманул вас, как те люди, которые закрыли рудник. Он просто использовал вас и ваш народ в своих корыстных целях. — Нервно облизнув губы, она взмолилась: — Отпустите нас, Ястреб. Вы выиграете больше, если отвезете нас обратно и расскажете властям, что произошло. Вам поверят. Я вступлюсь за вас. Я дам подтверждение, что вас одурачили, что Мортон вас подставил. А когда обвинение будет снято, мы попробуем что-нибудь предпринять, чтобы вновь открыть рудник. Ну, что вы скажете?

— Я соглашусь на ваше предложение, если... — Он помедлил. — Если вы сегодня будете моей.

Ошеломленная, Рэнди недоверчиво уставилась на него:

— Что?!

Ястреб улыбался, но его улыбка походила на язвительную гримасу.

— Видели бы вы сейчас свое лицо, миссис Прайс! Оно стало таким, словно вы живьем проглотили рыбу, которую отказались потрошить в тот день. Успокойтесь. Я просто хотел проверить, насколько далеко вы готовы зайти, чтобы убедить меня в своих благородных намерениях.

— Вы негодяй! — выпалила она, содрогнувшись от отвращения. — И глупец — скоро это станет ясно всем. Газеты будут доказательством тому, насколько ревностно Мортон отстаивает ваше дело. Вы еще убедитесь, как вы наивны!

Рэнди совершила досадную ошибку, посмеявшись над ним в лицо. Насмешки воспламенили гнев Ястреба. В два шага он обогнул стол и, схватив за плечи, прижал ее к себе.

— Не испытывайте удачу, миссис Прайс! Ваш муж наверняка не станет вас спасать. Он предоставил мне самому решать, как обойтись с вами. — От его горячего и тяжелого дыхания шевелились волосы Рэнди. Он зажал ее лицо в ладонях — мощных, способных раздавить череп. — Лучше молитесь и надейтесь, что Прайс сдержит слово.

— Ваши угрозы — пустой звук, Ястреб О'Тул. Я не верю, что вы убьете меня.

— Да, я вас не убью, — вкрадчиво отозвался он, — зато могу отослать вас домой, а мальчика оставить у себя. Я исчезну вместе с ним. А через год-другой вы его не узнаете. Он утратит все привычки городского неженки, перестанет быть маменькиным сынком. Он будет хитрым, словно змея, бойцом, волком-одиночкой, изгоем, как я. И так же, как я, будет ненавидеть вас.

— За что вы ненавидите меня? За то, что я не индианка? Так кто же из нас расист?

— Я ненавижу вас не из-за вашей белой кожи, а потому, что вы, как большинство белых, глухи к нашим просьбам. Вы надежно вытеснили нас из своего сознания. Но теперь мы заставим обратить на нас внимание: мы отнимем белокурого мальчика-англичанина у его матери-англичанки и превратим его в одного из нас — это наверняка подействует!

Содрогнувшись в душе, Рэнди сумела с вызовом вздернуть подбородок и дерзко уставиться Ястребу в глаза.

— Исчезнуть вам не удастся. Вас найдут.

— В конце концов — да. Но прежде пройдет немало времени, может быть, не один год. Этого хватит, чтобы я успел превратить Скотта в дикаря.

Даже угроза собственной жизни не подействовала на Рэнди так, как эта. Ее смелость мгновенно улетучилась, она вцепилась в рубашку Ястреба обеими руками:

— Прошу вас, не надо! Не отнимайте у меня Скотта! Он... он мой сын! Кроме него, у меня никого нет!

Он скользнул ладонями по плечам Рэнди вниз к ее бедрам, сжал их и оскорбительным жестом притянул ее к себе.

— Вам следовало подумать об этом раньше, когда вы спали со всеми друзьями мужа подряд.

Рэнди яростно толкнула Ястреба в грудь и высвободилась из его рук.

— Я не спала с ними!

— Эти слухи всем известны.

— Вот именно — слухи!

— Значит, вы заявляете, что все слухи о вашей неверности — клевета?

— Да!

Это слово взорвало накаленную атмосферу. Прошло несколько секунд, прежде чем детский голосок неуверенно произнес:

— Мама!

8

У слышав растерянный голос Скотта, Рэнди обернулась и увидела, что сын стоит на пороге. За ним, как тень, возвышался Эрни. Индеец с любопытством поглядывал на Ястреба. Но Скотт не сводил глаз с матери, а его личико светилось ожиданием.

— Привет, дорогой! — Заставив себя радостно улыбнуться, Рэнди смотрела на Скотта в надежде, что он не слышал последних реплик ее перепалки с Ястребом, а если и слышал, то ничего не понял.

Упав на колени, она протянула к мальчику руки. Скотт бросился к ней и крепко обнял за шею. Рэнди поглаживала его по спине, радуясь прикосновению крепкого тельца, холодных щек, запаху свежего воздуха и леса, исходящему от его одежды и волос.

Объятие наскучило Скотту задолго до того, как Рэнди разжала руки.

— Знаешь, мама, — защебетал он, поблескивая глазами, — сегодня мы с Эрни и Донни охотились!

— Охотились? — переспросила Рэнди, отводя волосы со лба сына. — С оружием?

— Нет, — удрученно ответил мальчик. — Ястреб сказал, что стрелять из ружей нам пока рано, зато мы расставили силки и поймали в них кроликов.

— Правда? — Рэнди любовно вглядывалась в лицо Скотта. Если не считать обгоревшего носа, он выглядел как обычно, и это личико было для Рэнди самым дорогим на свете.

— Да, но потом отпустили их. Кролики были совсем маленькие, и Эрни сказал, что надо дождаться, пока они подрастут.

— Должно быть, Эрни знает в этом толк.

— Он знает все! — заверил ее Скотт, с сияющей улыбкой посмотрев на нового друга. — Почти столько же, сколько Ястреб. А ты знаешь, что Ястреб здесь вроде принца или президента племени? — Понизив голос, мальчик доверительно добавил: — Он — большой человек.

Рэнди не хотелось вдаваться в обсуждение титулов Ястреба.

— Чем еще ты сегодня занимался? Ты хорошо пообедал?

— Угу, мы ели сандвичи с копченой колбасой, — рассеянно ответил Скотт, нетерпеливо приплясывая на месте, пока Рэнди пыталась заправить за пояс полы его рубашки. — А еще Лита испекла пирожки. Такие вкусные! Вкуснее твоих, — сокрушенно признался он.

158

На глаза Рэнди навернулись слезы.

— Ладно, я прощаю тебя за это.

— А ты что делала весь день? Эрни сказал, что Ястребу нужно, чтобы ты осталась здесь, в его хижине.

— Да, я... я тоже весь день была занята.

— Ты играла с ним еще во что-нибудь?

— Играла?

— Да, как мы с тобой играли сегодня утром.

Рэнди метнула в сторону Ястреба мрачный взгляд и заметила, что тот улыбается.

— Нет. Мы не играли ни в какие игры.

Скотт шагнул к ней и прошептал на ухо:

— Я хочу что-то сказать тебе по секрету, мама.

Рэнди мгновенно встревожилась, уверенная в том, что Скотт хочет сообщить ей, что его кто-то обидел.

— Конечно, дорогой. По-моему, Ястреб не станет возражать, если мы побеседуем один на один, без посторонних. — Не глядя на Ястреба, Рэнди отвела Скотта в сторонку. Устроившись в углу комнаты, она поставила Скотта лицом к себе и спиной к остальным. — Так что это за секрет, милый? Скажи маме.

— Кажется, Ястребу не понравилась наша игра.

Смысл его слов никак не соответствовал серьезному выражению на личике Скотта.

На миг Рэнди растерялась, а затем, стараясь не выдать раздражения, спросила:

— Почему ты так решил?

— Потому что он весь день ходил вот так. — Скотт свел брови на переносице в подобии хмурой гримасы, которая при других обстоятельствах заставила бы Рэнди покатиться со смеху. — А еще я слышал, как Эрни сказал Лите, что Ястреб давно уже не был в таком плохом настроении — потому что мы устроили игру. — Скотт примирительно положил ладошку на плечо Рэнди, словно они вдруг поменялись ролями и он стал старше и мудрее. — Знаю, тебе было интересно, но давай больше не будем играть с ним в эту игру, мама.

— Хорошо, не будем. — Рэнди уже и не старалась скрыть свое подавленное состояние. Она была ошеломлена, узнав, какое значение Скотт придает настроению Ястреба. Он стремился заслужить одобрение этого человека и, очевидно, дорожил его расположением.

Она притянула Скотта поближе, положила подбородок ему на макушку и обняла обеими руками.

— Я люблю тебя, мой мальчик.

— Я тоже люблю тебя, мама. — Но теперь, когда он уже высказался, его мысли перескочили на другой предмет. Он завозился в кольце материнских рук. — А теперь мне пора — меня ждет Донни. Мы будем жарить кукурузу.

160

Он пригласил меня переночевать у них дома. Эрни сказал, что ты согласишься, потому что ты останешься здесь, с Ястребом.

— Правильно. Не волнуйся за меня.

— Я и не волнуюсь. Это хорошо, что у тебя тоже есть друг, у которого можно ночевать. Вы будете спать в одной постели, как мамы и папы в кино?

— Ну что ты говоришь, Скотт! — Она растерянно перевела взгляд на Ястреба, который наблюдал за ней с другого конца комнаты, как хищная птица. Он не мог не услышать звонкий голосок Скотта, хотя выражение его лица ничуть не изменилось.

— Так нельзя говорить, потому что вы не настоящие мама и папа?

— Правильно.

— Ну и ладно, — заявил Скотт, склонив голову набок и обдумывая сложную проблему, — ничего страшного, даже если вы будете спать вдвоем. Спокойной ночи, мама. — Он влепил беспечный, обязательный поцелуй в щеку Рэнди и метнулся к двери, крикнув через плечо: — Спокойной ночи, Ястреб!

Эрни еще некоторое время смотрел на Ястреба в упор. Рэнди не смогла точно определить выражение его лица, но ей показалось, что это был упрек. Наконец Эрни закрыл за собой дверь, оставив Рэнди наедине с Ястребом. После минутного тягостного молчания Ястреб спросил:

— Где предпочитаете спать? На полу? Или на моей кровати?

— На полу.

Легким пожатием плеч он выразил абсолютное безразличие к ее выбору.

— Идите сюда.

Когда Рэнди в приступе упрямства не сдвинулась с места, Ястреб нахмурился, взял ненавистный кожаный ремешок и сам направился к ней. Рэнди поморщилась, пока он стягивал ее запястья за спиной.

— Я никуда не убегу. Я дала вам слово.

— Почему я должен верить вашему слову?

— Куда мне бежать без Скотта?

— Это верно. Но я не доставлю вам удовольствия, позволив перерезать мне глотку, пока я сплю.

Он запустил руку в карман ее рубашки и извлек нож. Рэнди считала, что сумела незаметно вытащить его из-за пояса Скотта, пока они обнимались. Нет, она не потому так долго держала сына в объятиях. Просто когда Рэнди ощутила под рукой гладкую рукоятку из кости, она сочла это даром божьим и, улучив мгновение, переложила нож к себе в карман.

А теперь Ястреб отнял нож так же легко, как лишил ее гордости.

— Эти попытки бегства мне уже надоели, миссис Прайс. Почему бы вам не успокоиться?

— А вам почему бы не пойти к черту?

Она прошла мимо Ястреба с таким достоинством, какое только могла изобразить со связанными за спиной руками. У изножья кровати она села на то место, где провела целый день, если не считать ужина и встречи со Скоттом. Не говоря ни слова, Ястреб встал перед ней на колени и привязал ее руки к ножке кровати. Из шкафа в другом конце комнаты он вытащил одеяло и подушку.

Вернувшись к Рэнди, он бросил подушку на пол.

— Ложитесь.

Рэнди хотелось взбунтоваться, но она слишком устала от борьбы с Ястребом, чтобы предпринимать еще одну попытку. Следовало поберечь силы и рассудок, которые могли пригодиться ей позднее. Она легла на бок, положив голову на подушку. Ястреб развернул одеяло и небрежно набросил его на Рэнди.

— Я вернусь, — только и сказал он, выходя за дверь хижины.

Фонарь он унес с собой, и Рэнди осталась в непроглядной тьме. Прошло не меньше часа. Рэнди размышляла о том, куда ушел Ястреб и чем он сейчас занимается. Обходит поселок? Совещается с другими вождями? Занимается любовью с Зарей?

Почему-то именно последняя мысль не давала ей покоя. Она представляла себе их вдвоем: два тела, одно — жилистое и мускулистое, другое — нежное и округлое, дви-

163

жущиеся в едином ритме. Она видела лицо Ястреба, волевое и мужественное, воображала грациозные движения его бедер.

Рэнди представила, как он склоняется к ее груди, открывает губы и смыкает их вокруг соска, нежно дразня его языком, как сосущие движения становятся все порывистее и сильнее.

Внезапно она застонала от пронзившего ее желания. Она ненавидела слабость собственного тела, но не могла отрицать ее. Фантазии раздули в ней бесстыдный пожар, который требовалось затушить. На это был способен только Ястреб. Он наверняка умеет доставлять своей возлюбленной такое же удовольствие, какое испытывает сам. Об этом Рэнди могла судить по его прикосновениям сегодня утром. Небрежной ласки Ястреба оказалось достаточно, чтобы вызвать у нее сладкую боль. В ней пробудились плотские желания, не желавшие подчиняться ее воле.

Перед глазами Рэнди сверкнуло видение: его рука, слегка касающаяся ее бедра. Она прикусила нижнюю губу, стараясь сдержать низкий стон желания почувствовать эту руку под одеждой, ощутить эту изощренную ласку.

Рэнди была настолько поглощена своими фантазиями, что вздрогнула, услышав, как Ястреб захлопнул за собой дверь. Она притворилась спящей, а Ястреб бесшумно подошел к ней, держа фонарь в руке. Рэнди надеялась, что он не заметит румянца на ее щеках, а ее дыхание сочтет достаточно ровным.

По-видимому, он поверил в то, что она спит, потому что промолчал. Поставив фонарь на стол, Ястреб потушил его. Рэнди слышала, как глухо шмякнулись на пол сброшенные им сапоги, как прошелестела одежда. Пружины кровати скрипнули под тяжестью его тела. Рэнди вслушивалась, стараясь различить тихое похрапывание или ровный звук дыхания, указывающие на то, что Ястреб заснул, но вскоре сама незаметно уснула.

Проснувшись среди ночи, она с испугом увидела, что Ястреб склонился над ней. Вздрогнув, Рэнди с тревогой уставилась на него. Серебристый лунный свет проникал в окно, освещая лицо Ястреба, его грудь и бесподобно голубые глаза.

— У вас стучали зубы, — негромко пробормотал он и чем-то укрыл ее.

Коснувшись щекой покрывала, Рэнди по ощущению узнала овчину, каких было много в поселке. Она получше укуталась в нее, радуясь теплу. Ястреб молча вернулся в постель.

Рэнди еще долго лежала без сна, глядя в окно. Она вспоминала, как перекатывались мускулы на его руках, пока он укрывал ее овчиной. Кожа на его груди была гладкой, туго натянутой, как на барабане. На ней выделялись маленькие и твердые соски. Она разглядывала его тонкую талию, плоский живот, а

165

темная поросль побудила ее опустить глаза еще ниже.

При воспоминании об этом у Рэнди перехватило дыхание.

Ястреб О'Тул предстал перед ней во всей дикой, животной, захватывающей наготе.

Лита и Рэнди прислуживали мужчинам. Они сновали от печки к столу, поднося тяжелый эмалированный кофейник и наполняя чашки по мере того, как они пустели. Совет вождей собрался сегодня утром в хижине Ястреба, чтобы обсудить дальнейшие действия. Насколько понимала Рэнди, это был современный вариант совета племени.

Вероятно, ей следовало испытывать гнев, поскольку о ней говорили так, словно ее здесь не было, но Рэнди была спокойна. Прежде всего она предпочитала знать, что ее ожидает, а не томиться в неведении относительно того, что намерены предпринять ее похитители. Кроме того, пока шло заседание совета, она могла свободно передвигаться по хижине и время от времени поглядывать в окно на Скотта, который играл с Донни возле хижины.

Ястреб не замечал ее, словно она вдруг стала невидимой, но после вчерашней ночи это равнодушие только радовало Рэнди. Утром, когда она проснулась, в хижине было пусто, а ее руки оказались свободны. Ястреб вернулся вместе с Эрни и Литой. Рэнди показалось, что он старательно избегает смотреть на нее — так же усердно, как она избегает его взгляда.

Во время совета он часто повторял имя Рэнди, но взглянул на нее только один раз, когда она вдруг чихнула, повергнув всех присутствующих в минутное молчание. Рэнди извинилась и на краткий миг невольно встретилась глазами с Ястребом. Она так и не смогла определить, кто из них отвел взгляд первым.

Целью собрания было обсуждение утреннего выпуска газеты. Кого-то отправили в ближайший городок, который находился довольно далеко от поселка, поручив купить утренние газеты и привезти их. Наконец посыльный вернулся. Он выскочил из машины и бросился по тропе к хижине, где один из индейцев уже придерживал открытую дверь.

Вытащив из-под мышки три экземпляра газеты, посыльный разложил их на столе. Его лицо было мрачным. Ястреб понял настроение посыльного прежде, чем взглянул на первую полосу, и молча прочел статью.

Под заголовком Рэнди увидела снимок, изображающий ее и Скотта. Рядом поместили фотографию Мортона с осунувшимся лицом. Он талантливо играл свою роль. Только очень низко павший человек мог решиться на такой чудовищный обман. Только эгоист до мозга костей пошел бы на такой шаг. Рэнди не терпелось прочесть статью. Чтобы заинтересовать читателей, высказывания Мортона были выделены крупным шрифтом. Кроме того, Рэнди хотелось знать, какие меры он предпринял, чтобы спасти ее и Скотта.

Мужчины, сидящие за столом, неловко заерзали. Эрни вскинул голову и пристально посмотрел на Ястреба, прежде чем продолжить чтение. Один из мужчин выругался, сердито отошел от стола и уставился в окно. Рэнди с испугом решила, что он следит за Скоттом.

Она не сводила с Ястреба вопросительного взгляда. Выражение его лица становилось мрачнее с каждой секундой. Челюсть угрожающе выпятилась, ладони сжались в кулаки. Брови сошлись под острым углом на переносице.

— Проклятие!

Рэнди подскочила, когда Ястреб стукнул по столу обоими кулаками и злобно выругался.

— Может быть, там есть продолжение, — бесстрастно предположил Эрни.

— Я уже смотрел, — сообщил мужчина, привезший газеты. — Кроме того, что вы уже прочли, там нет ничего.

— Этот ублюдок только мимоходом упомянул про нас!

— И при этом назвал похищение «варварским, преступным злодеянием»!

— А я думал, он посочувствует нам, встанет на нашу сторону, попытается вступиться за нас перед губернатором.

Один за другим раздавались голоса мужчин. Только Ястреб хранил зловещее молчание. Наконец он вскинул голову и пронзил Рэнди взглядом. Она содрогнулась от ужаса.

— Выйдите все, — процедил он сквозь зубы.

Все присутствующие насторожено переглянулись, не зная, как поступить. Человек, стоявший у окна, послушался первым и вышел. Остальные последовали за ним, негромко переговариваясь. Лита нерешительно помедлила на пороге, поджидая Эрни, который подошел к Ястребу.

— Пока ты не натворил глупостей, — предостерег Эрни, — подумай о возможных последствиях.

— К черту последствия! — прошипел Ястреб. — Я знаю, что делаю!

Очевидно, Эрни не разделял его мнения, но вместе с Литой вышел вслед за остальными. Не задавая вопросов, Рэнди поняла, что краткий приказ Ястреба очистить комнату к ней не относится. Она стояла, словно прикованная к месту.

В хижине стало тихо. Из-за двери доносились знакомые звуки — возгласы играющих детей, стук молотка, лай собак. Где-то неподалеку фыркали и ржали лошади. Капризный двигатель машины с воем пробудился к жизни. Но эти обычные звуки казались далекими, отстраненными от напряженной тишины в хижине. Если не считать потрескивания огня в печке и прерывистого, торопливого дыхания Рэнди, здесь царило безмолвие.

Наконец, когда она уже думала, что больше не выдержит ни секунды нарастающего напряжения, Ястреб сдвинулся с места. Он медленно поднялся, отодвинув свой стул от стола, обошел вокруг него и направился к Рэнди, не сводя с нее неподвижного взгляда.

Когда между ними осталось всего несколько футов, он остановился и бесстрастным голосом произнес:

— Снимайте рубашку.

9

Р энди не шелохнулась. Только быстро сократившиеся зрачки и невольная дрожь свидетельствовали о том, что она слышала приказ.

— Снимайте рубашку, — повторил он.

— Нет, — хрипло выдавила она, а потом, покачав головой, повторила тверже: — Нет! Нет!

— В таком случае...

Острое как бритва лезвие его ножа зловеще появилось из кожаных ножен. Рэнди попятилась. Сжав нож в правой руке, Ястреб протянул к ней левую. Рэнди увернулась, но он успел схватить ее за волосы, намотал их на кулак и притянул Рэнди к себе. От боли она не почувствовала, как Ястреб разрезал фланелевую рубашку от воротника до подола, но ощутила кожей холодный воздух. Взглянув вниз, она увидела разрез. Потрясение помешало Рэнди издать подступивший к горлу вопль.

Ястреб выпустил ее волосы, но она была слишком изумлена, чтобы попытаться бежать. Взяв ее безвольно опущенную руку и взмахнув ножом, он рассек подушечку большого пальца Рэнди и небрежно сунул нож в ножны.

Рэнди ахнула, увидев, как из раны заструилась кровь. Лишившись дара речи и слишком перепугавшись, чтобы пошевелиться, она даже не попыталась сопротивляться, когда Ястреб сорвал с нее рубашку.

— Ваше упрямство пойдет нам на пользу. Разрезанная рубашка будет выглядеть еще правдоподобнее. — Он сжимал большой палец Рэнди, пока кровь из него не потекла по запястью. Затем, прижав рубашку к кровоточащему порезу, он стер кровь и размазал ее по ткани. — Ваша кровь, — объяснил он, — они проверят ее. — Между пальцами Ястреба запуталось несколько волосков Рэнди. Тщательно распутав, он прилепил их к кровавым пятнам на ткани. — И ваши волосы. — Его губы цинично скривились. — Они будут знать наверняка: вы стали жертвой «варварского, преступного злодеяния».

— А разве это не так?

Ястреб уставился на ее обнаженную грудь. Рэнди закрыла глаза, пошатнувшись от стыда и зная, что Ястреб заметил, как набухли ее соски.

— Может быть. — Шагнув ближе, он взял окровавленную руку Рэнди и приложил ее к низу своего живота, позволив ощутить тугую выпуклость. — Вот что сделало со мной вожделение, миссис Прайс. Может быть, стоит запачкать рубашку еще одной жидкостью? Той, для определения которой им не понадобится микроскоп?

Он сильнее прижал к выпуклости ладонь Рэнди. Пронзительно вскрикнув, она отдернула руку. Но этот крик вызвала боль, а не попытка возразить против гнусного предложения Ястреба или вынужденного прикосновения.

— Что случилось? — Голос Ястреба изменился. Теперь в нем не чувствовалось ни следа наигранной угрозы. Беспокойство было неподдельным. Утратив зловещий блеск, его глаза испытующе вглядывались в лицо Рэнди.

— Ничего, — выдохнула она. — Ничего.

Ястреб взял ее за руку.

— Не лгите мне. В чем дело? — Он слегка встряхнул ее и, когда Рэнди поморщилась, мгновенно разжал пальцы. — Что-то с рукой?

Рэнди не хотелось выдавать свою слабость, но, поскольку Ястреб настаивал, она кивнула.

— Руки ноют оттого, что мне пришлось спать на полу, не меняя позы. Я мерзла, пока вы... не укрыли меня, — еле слышно закончила она и отвернулась. — У меня свело мышцы.

Он отстранился. Когда несколько мгновений спустя Рэнди подняла голову, Ястреб по-прежнему смотрел на нее сверху вниз. Вдруг, резко повернувшись, он подошел к шкафу и достал чистую рубашку. Она тоже была фланелевая, но гораздо большего размера, чем та, которую носила Рэнди. Она предположила, что рубашка принадлежит Ястребу.

Он помог Рэнди просунуть руки в рукава. Манжеты рубашки закрыли ей кончики пальцев. Пока Рэнди стояла перед ним, как послушное дитя, он закатал рукава до запястий и только тут заметил, что большой палец Рэнди еще кровоточит.

Сердце Рэнди чуть не выскочило из груди, когда Ястреб поднес ее большой палец к губам и принялся высасывать кровь из ранки. Их взгляды встретились и замерли, пока он легко водил языком по неглубокому порезу. Рэнди прерывисто вздохнула, когда он вновь перевел взгляд на ее груди. Теперь их прикрывала рубашка, но путь к ним был по-прежнему открыт, так как пуговицы остались незастегнутыми. Соски отчетливо вырисовывались под мягкой тканью. Это зрелище было соблазнительнее наготы.

Ястреб коснулся кончиками пальцев шеи Рэнди в том месте, где до сих пор сохранились следы его поцелуев, оставленные две ночи назад. Он осторожно погладил красные отметины. Рэнди заметила в его глазах сожаление и вместе с тем — гордость, которую не могла спутать ни с чем.

Пройдясь пальцами по шее Рэнди, он отодвинул в сторону полу рубашки, обнажая одну грудь. Она казалась особенно нежной на фоне грубой ткани и рядом с бронзовой ладонью Ястреба. Он провел по выпуклости груди костяшками пальцев, задел пальцем чувствительный сосок, который сразу превратился из невинного в возбуждающий. Их взгляды вновь встретились. Глаза Рэнди переполняло удивление: она и не подозревала, что Ястреб О'Тул способен на такие ласки. Его глаза пылали желанием.

Но тут же, словно рассердившись на нее или на себя, Ястреб отдернул руку и отвернулся. Долгую минуту он стоял посреди комнаты молча, не двигаясь. Наконец он заговорил, и голос его прозвучал резко и хрипло:

— Похоже, вашему мужу все равно, вернетесь вы или нет.

— Я же говорила вам, — с трудом произнесла Рэнди. Ее ноги стали ватными, нижняя часть тела пульсировала и горела. Стыдливый румянец обжигал щеки. Помедлив, она тихо добавила: — И потом, он мне не муж.

— Но он еще беспокоится за Скотта.

— Только потому, что этого ждут от него избиратели.

— В статье он даже не упомянул о нашем деле. — Развернувшись, Ястреб встряхнул окровавленную рубашку. — Вот для чего она нужна — чтобы напомнить ему условия соглашения.

— Сомневаюсь, что это поможет. Он даже не признается, что получил ее.

— Я отправлю рубашку не ему, а прямо губернатору Адамсу — вместе с письмом, поясняющим, чего мы хотим и почему рудник «Одинокая пума» имеет такое значение для резервации.

— Надеюсь, в этом случае вы добьетесь своего, Ястреб. Я искренне надеюсь. Но вы должны отпустить нас со Скоттом. Посылать окровавленную одежду по почте как свидетельство угроз и насилия опасно и глупо. Вреда это принесет больше, чем пользы.

— Я не прошу у вас совета. Я в нем не нуждаюсь. — Он перевел взгляд на расстегнутую рубашку Рэнди — туда, где сходились два полукружия грудей. — По-моему, вашим опытом я мог бы воспользоваться лишь в одном случае, — сардонически добавил он, — и я уже знаю, как это сделать.

Оставив Рэнди кипящей от ярости, он вышел и хлопнул за собой дверью.

— Ему жилось нелегко. Вот почему иногда он кажется таким суровым, — старательно объясняла Лита. — Но в глубине души Ястреб добр и отзывчив. Просто он не хочет, чтобы об этом узнали и считали его слабым. Он очень серьезно относится к своему положению главы племени.

Рэнди оставалось только соглашаться с ней. Женщины стояли у стола в хижине Ястреба, чистили и резали овощи. Рэнди не видела Ястреба с тех пор, как несколько часов назад он хлопнул дверью, унося испачканную кровью рубашку. Рэнди удивилась, что он не позаботился связать ее перед уходом, но несколько минут спустя все объяснило появление Литы. Она принесла одежду, требующую починки, корзину овощей и пластырь, чтобы заклеить порез на пальце Рэнди.

— Все ясно: тебе поручили сторожить меня, — заявила Рэнди, а когда бесхитростная улыбка сползла с лица Литы, тут же пожалела о резких словах. Молодая женщина была не виновата в том, что она, Рэнди, оказалась пленницей бессердечного человека. Лита только исполняла приказы мужчины, вождя, вероятно привыкнув к этому с малолетства. — Прости мою резкость, Лита. Здесь остался кофе. Не хочешь выпить чашечку?

Рэнди казалось нелепым заниматься хозяйством в доме, хозяин которого сорвал с нее рубашку, угрожал ножом и нанес самое унизительное из оскорблений. Но Лита, очевидно, не видела в этом ничего странного и с радостью согласилась выпить кофе. Она принялась штопать вещи, а когда закончила, то взялась за овощи, не переставая болтать.

Рэнди порадовалась тому, что разговор естественно и неуклонно возвращался к Ястребу О'Тулу. Ей хотелось узнать об этом человеке все, не задавая прямых вопросов. Как выяснилось, вопросы ей не понадобились. Лита с радостью делилась с ней всем, что знала сама.

— Что-то я не заметила в нем доброты и отзывчивости, — ответила Рэнди, бросив очищенную картофелину в миску с холодной водой и потянувшись за следующей.

— Еще бы! Он до сих пор оплакивает свою мать и брата, который умер, едва родившись. А еще он скучает по деду.

— Насколько я поняла, кроме деда, никто не оказывал на Ястреба такого сильного влияния.

Лита переварила ее слова и согласно кивнула.

— Ястреб и его отец жили как кошка с собакой. После смерти отца Ястреб не пролил ни слезинки. Сама я тогда была еще слишком мала и ничего не помню, но мне рассказывал Эрни. — Лита пересчитала очищенные морковки и решила добавить к ним еще одну. — Старший сын Эрни — ровесник Ястреба. В колледже они вместе играли в футбол.

— В колледже?

— Ага. Оба они получили дипломы инженеров. Деннис занялся строительством плотин и мостов, а Ястреб после смерти деда вернулся в резервацию. Карьеру в городе ему пришлось оставить.

Рэнди забыла про наполовину очищенную картофелину, которую держала в руке.

— Если он успешно делал карьеру в городе, наверняка ему не раз хотелось туда вернуться.

— По-моему, ему помешали его отец и рудник.

— Его отец и рудник?

— Точно я не знаю, но отец Ястреба был управляющим рудником. Его считали... — она понизила голос, — ненадежным человеком. Эрни говорит, что почти все время он был навеселе. Во всяком случае, мошенники сумели уговорить его продать рудник.

Рэнди старалась изобразить безразличие.

— Значит, это он продал рудник той группе инвесторов?

— Да. Я слышала, как Эрни говорил, что нас надули. Все обвиняли отца Ястреба. Наконец он допился до белой горячки, и его пришлось уволить.

— Значит, Ястреб взял на себя его ответственность и вину, — заключила Рэнди.

Это во многом объясняло поступки Ястреба О'Тула. Он хотел не только вновь открыть рудник и тем самым помочь племени, но и привести дела в порядок, чтобы искупить вину отца. Со своим дипломом колледжа и задатками лидера он мог работать где угодно, но остался в резервации — не только потому, что был вождем, но и потому, что терзался угрызениями совести.

— Эрни тревожится за Ястреба, — продолжала Лита, не подозревая о тайных догадках Рэнди. — Он считает, что Ястребу давно пора жениться и обзавестись детьми. Тогда, возможно, он реже бывал бы в плохом настроении. Эрни говорит, что Ястребу очень одиноко, что иногда это вынуждает его на жестокие поступки. Он мог бы выбрать любую незамужнюю женщину племени, но не сделал этого.

— Может, он выбирал женщин когда-нибудь, чтобы... ну, ты понимаешь.

Лита застенчиво потупилась.

— Когда ему нужна женщина, он уезжает в город на несколько дней.

Рэнди с трудом сглотнула.

— Он часто бывает в городе?

— Когда как, — пожала плечами Лита. — По нескольку раз в месяц.

— Понятно...

— Иногда он задерживается в городе на несколько дней. Но всегда возвращается обратно мрачный как туча. Похоже, чем больше времени он проводит с такими женщинами, тем меньше это ему нравится. — Лита вытерла руки кухонным полотенцем и сгребла картофельные очистки в заранее приготовленный газетный кулек.

— От проституток у него не будет детей.

— Ястреб говорил Эрни, что у него никогда не будет детей, — продолжала разговор Лита.

— Вот как? Почему?

— Эрни считает, что Ястреб боится, вспоминая о том, что случилось с его матерью. Он видел, как она умирала.

Враждебность Рэнди угасла сама по себе. Злиться на человека, который столько выстрадал, оказалось невозможно.

— Если в ближайшее время у Ястреба не появятся дети, — уже веселее произнесла Лита, — ему придется потрудиться, чтобы догнать Эрни. — И она робко и таинственно улыбнулась Рэнди.

— Ты беременна?

Лита отвела взгляд и кивнула.

— Ты уже сказала Эрни?

— Вчера ночью.

— Поздравляю вас обоих.

Лита хихикнула:

— У Эрни уже есть внуки, но, узнав о ребенке, он возгордился, как павлин. — Опустив взгляд на собственный живот, Лита любовно погладила его.

Мягкое, мечтательное выражение сделало ее лицо красивым. Оно засветилось каким-то внутренним светом. Рэнди порадовалась за Литу, но вместе с тем ощутила укол зависти. Любовь Литы и Эрни была бесхитростной, как их жизнь. Конечно, Эрни совершил преступление и мог попасть в тюрьму, но ни за что в мире Рэнди не напомнила бы об этом Лите, не омрачила счастье юной женщины.

Несколько минут спустя в хижину вбежали Донни и Скотт. Они за обе щеки уплетали сандвичи, приготовленные Литой и Рэнди. Рэнди присела рядом с сыном, прикасаясь к нему при каждой возможности, но стараясь не смутить ребенка.

— Знаешь, мама, спать в доме у Донни так здорово! Эрни рассказывал нам сказки о привидениях — индейские сказки! — Залпом выпив молоко, Скотт вытер губы ладошкой. — А тебе понравилось спать в доме у Ястреба?

Улыбка Рэнди угасла.

— Да.

— Ястреб сказал, что после ленча он возьмет нас покататься верхом, и просил передать тебе, чтобы ты приготовила ему сандвич. Я отнесу его Ястребу.

Рэнди хотелось выпалить, что мистер О'Тул вполне мог бы сам вернуться в хижину и сделать себе сандвич, но ей не хотелось втягивать Скотта в ссору — несомненно, на это и рассчитывал Ястреб. Вручив Скотту два завернутых в бумагу сандвича, Рэнди крепко обняла его.

— Будь осторожен, не забывай, ты совсем недавно научился ездить верхом. Не рискуй понапрасну.

— Ладно, не буду. Не бойся, ведь Ястреб поедет со мной. Подожди, Донни, я уже иду!

Скотт метнулся к двери, выбежал за порог, спрыгнул со ступенек и помчался прочь, ни разу не оглянувшись. Рэнди натолкнулась на сочувственный взгляд Литы.

— Ястреб не допустит, чтобы со Скоттом что-нибудь случилось. В этом я уверена.

Рэнди слабо улыбнулась.

— Да, он будет присматривать за Скоттом, пока я не откажусь исполнять его приказы. А я не намерена отказываться. — Она глубоко вздохнула. — Тебе незачем оставаться здесь со мной. Должно быть, у тебя немало хлопот. Прошу тебя, займись своими делами. Я никуда не денусь.

— Ты уже пыталась сбежать.

— Но больше не буду.

— Напрасно ты сбежала, Ястреб в любом случае догнал бы тебя.

— Знаю. Но я должна была попытаться.

Не понимая решимости Рэнди, Лита покачала головой:

— Я предпочла бы мужскую защиту одиночеству.

Это откровенное замечание вызвало у Рэнди досаду. Почему мысль о защите Ястреба вдруг показалась ей такой привлекательной? Ей хотелось остаться одной и поразмыслить. Кроме того, начала сказываться проведенная почти без сна ночь. От недосыпания у Рэнди слипались глаза. Она зевала, не сдерживаясь, только из вежливости прикрывая ладонью рот. В конце концов Лита поддалась уговорам и согласилась оставить Рэнди одну.

Как только дверь за Литой закрылась, Рэнди побрела к кровати, легла, укрылась одеялом и зарылась головой в подушку. Если Ястребу не понравится, что она вздремнула на его кровати, это его дело. В конце концов, именно он виноват в том, что прошлой ночью она не выспалась.

Сначала он заставил ее лечь на жестком полу, затем чуть не заморозил до смерти, прежде чем догадался укрыть. А под конец появился перед ней голым.

На этом восхитительном воспоминании ее сразил глубокий сон.

Когда Рэнди проснулась, Ястреб уже был в хижине. Она рывком села, поежившись от легкой прохлады, и огляделась. Ястреб неподвижно сидел у печки, откинувшись на прямую спинку стула, вытянув перед собой ноги в сапогах и сомкнув ладони на пряжке ремня. Он смотрел на Рэнди не моргая. У нее создалось впечатление, что в этой позе Ястреб просидел не один час.

— Простите... — нервно пробормотала Рэнди, откидывая одеяло и спуская ноги на пол. — Который теперь час?

— Какая разница?

— Полагаю, никакой. Я не собиралась спать так долго.

Судя по свету за окном, день клонился к вечеру. Солнце уже висело над горами. Тени в углах хижины потемнели и вытянулись.

— Разве вам не любопытно узнать? — спросил Ястреб.

Рэнди потирала рука об руку, прогоняя озноб.

— О чем?

— О рубашке.

— Вы уже отправили ее?

— Да.

— Если это поможет мне поскорее вернуться домой, то я ничего не имею против. — Поднявшись, она оправила безнадежно измятую рубашку, которая была до отвращения безобразна с самого начала. — Вы брали Скотта на верховую прогулку?

— Да. Он уже умеет держаться в седле.

— Где он сейчас?

— Играет в карты в хижине Эрни.

— Я увижу его за ужином?

— Вы проспали ужин. Сегодня мы перекусили раньше, чем обычно.

— Вы хотите сказать, что Скотта я увижу только завтра? Почему вы не разбудили меня? — сердито выпалила Рэнди.

Ястреб пренебрег и ее гневом, и вопросом и задал собственный:

— Вы замерзли?

— Да, замерзла. Мне нездоровится. — В довершение всех унижений на глазах Рэнди выступили слезы. — У меня гудит голова, все тело болит — между прочим, по вашей вине! Мне нужен аспирин. А порез на большом пальце за все задевает и то и дело кровоточит.

— Я же прислал вам пластырь.

— Он оторвался, пока я мыла вашу посуду! — выкрикнула Рэнди. — Я хочу видеть сына! Хочу пожелать ему спокойной ночи! Вы не пускали его ко мне весь день!

Выпрямившись, Ястреб поднялся на ноги.

— Вам следовало подумать об этом, прежде чем пытаться удрать.

— Сколько еще вы намерены наказывать меня?

— Пока не увижу, что вы усвоили урок.

Ее голова беспомощно поникла. Слеза покатилась по щеке.

— Прошу вас, Ястреб, позвольте мне повидаться со Скоттом! Хотя бы на пять минут!

Ястреб поднял ее лицо за подбородок, несколько минут вглядывался в него, а потом вдруг отпустил. Сорвав с кровати одеяло, он достал с полки шкафа еще одно, свернутое.

— Идем, — позвал он, направляясь к двери.

Рэнди, смахнув слезы, с радостью последовала за ним. Ястреб направился к стоящей неподалеку машине, и это показалось Рэнди странным, хотя она решила, что ехать в машине лучше, чем идти до другой хижины пешком. Но когда Ястреб повернул в другую сторону, Рэнди насторожилась.

— Что вы делаете? Куда вы меня везете?

— Скоро узнаете. А пока радуйтесь поездке. Сегодня чудесный вечер.

— Я хочу видеть Скотта!

Он промолчал, устремив неподвижный взгляд на ветровое стекло. Рэнди не собиралась вновь доставлять ему удовольствие слезами, не стала умолять о встрече с сыном. Она уставилась перед собой, выпрямив спину, вздернув подбородок и мысленно ругая себя за слезы и мольбы. Они не только унизили ее, но и не принесли никакой пользы.

Недалеко от поселка Ястреб остановил машину. Окружающий ландшафт казался здесь еще более диким. Рэнди встревоженно вскинула голову, когда Ястреб выключил двигатель и поставил машину на тормоз.

— Где мы? Зачем мы приехали сюда? Вы хотите зарыть здесь мой труп?

Не отвечая, Ястреб вышел из машины и обошел вокруг нее, чтобы помочь выйти Рэнди. Отступив на несколько шагов, она дождалась, пока Ястреб вынул из багажника одеяла.

— Сюда, — указал он.

Рэнди опасливо начала взбираться по склону. Достигнув гребня, она остановилась перевести дыхание — не только потому, что склон оказался крутым, но и потому, что с него открывалась захватывающая панорама. Казалось, весь мир простирается перед ними и ничто не отделяет их от заходящего солнца.

Закат играл насыщенными красками — от почти пылающей пунцовой до радужной фиолетовой. С каждой секундой сумерки сгущались, а звезды вспыхивали на небе, как цветы после весеннего дождя. Над горизонтом зависла половинка луны — огромная, безупречно светлая, как китайский фарфор. Прохладный ветерок забирался под одежду Рэнди.

— Нам надо протиснуться вот сюда, — послышался над ее ухом голос Ястреба.

— Куда? — переспросила она, поскольку Ястреб показывал на сплошную каменную стену.

— Сейчас покажу. — Взяв за руку, Ястреб повел ее вперед.

Подойдя ближе, Рэнди заметила глубокую трещину в скале, настолько узкую, что сквозь нее мог протиснуться только очень стройный человек. Ястреб подтолкнул ее вперед, и Рэнди скользнула в расщелину. Ястреб последовал за ней. За расщелиной начинался постепенно расширяющийся проход. Когда Рэнди достигла его конца, то невольно застыла в изумлении.

Перед ней, на расстоянии всего нескольких футов, поблескивало небольшое озерко. Над ним, как над кипящим котлом, поднимался пар, застилая землю клубящимся туманом, доходящим до щиколоток Рэнди. Вода булькала и пузырилась. Очевидно, это был теплый подземный источник.

— Добро пожаловать в горячую ванну матери-природы, — пригласил Ястреб.

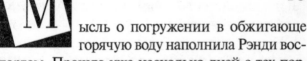 ысль о погружении в обжигающе горячую воду наполнила Рэнди восторгом. Прошло уже несколько дней с тех пор, как она в последний раз мылась по-настоящему. Ей не хотелось плескаться в ледяных водах ручья, и потому после похищения пришлось довольствоваться купанием в тазу с помощью губки.

— Ну как? Хотите попробовать? — спросил Ястреб.

— Да! — воодушевленно отозвалась Рэнди, но тут же опомнилась и добавила более сдержанным тоном: — Если можно.

— Разумеется, иначе зачем я привез вас сюда? Может быть, от горячей воды у вас прояснится в голове и пройдет озноб.

Рэнди шагнула к пруду, прежде чем вспомнила, что она одета.

— А как же быть с одеждой?

— Снимите ее.

— Не хочу.

— Тогда она промокнет насквозь.

Ястреб начал расстегивать рубашку. Когда он прогнул спину и вытащил рубашку из-под пояса брюк, Рэнди отвела глаза, прекрасно понимая, что он пытается запугать ее. Но она не собиралась поддаваться. С воинственным видом она сбросила туфли и стащила носки, аккуратно сложив их на сухом плоском камне. Расстегнув юбку, Рэнди уронила ее к ногам и переступила через нее. Мешковатая рубашка доходила до середины бедер, надежно скрывая низ живота.

Услышав сквозь бульканье воды звук расстегиваемой «молнии», она двинулась вперед так быстро, как только позволяла каменистая земля, и шагнула в озеро, тут же негромко ойкнув. Вода обожгла озябшие ноги, и прошло не меньше минуты, прежде чем Рэнди заставила себя войти в нее. Вскоре она привыкла к блаженному теплу и погрузилась в пузырящуюся воду по пояс, затем — по плечи и наконец — по шею, млея от бесподобных ощущений.

Никакая гидромассажная ванна, созданная руками человека, не сравнится с этим природным бассейном, решила Рэнди. Вода толкала ее со всех сторон, массировала затекшие мышцы, размягчала закостеневшие суставы и согревала холодную кожу.

— Ну как, нравится?

Рэнди боялась повернуть голову и взглянуть на него, но когда решилась, то с облегчением обнаружила, что и Ястреб погрузился в воду до подбородка. Она поняла, что под непрестанно колышущейся поверхностью воды он совершенно обнажен, и постаралась не думать об этом.

— Замечательно! Как вы нашли его?

— Мой дед приводил меня сюда после охоты. А когда я повзрослел, то стал приводить сюда подруг.

— Пожалуй, об этом мне не стоит знать.

Он усмехнулся:

— Вода расплавляла запреты. Через несколько минут девушки забывали слово «нет».

— И много их здесь побывало?

Он пожал плечами:

— Кто их считал? Они появлялись и исчезали.

— В достаточном количестве?

В его приглушенном смешке сквозила ирония.

— Какое количество покажется юноше достаточным?

— А теперь, когда вы повзрослели?

Он пристально взглянул на нее:

— Разве женщин бывает достаточно?

Понимая, что благоразумнее будет прекратить этот разговор, Рэнди сменила тему:

— Лита рассказывала мне о ваших поездках в город. Должно быть, продажные женщины удовлетворяли вас?

— Да, а я удовлетворял их.

В его взгляде было нечто такое, что заставило Рэнди почувствовать, как загораются ее щеки. Она поспешно отвернулась.

— А как насчет вас? — вкрадчиво осведомился он. — Вы когда-нибудь испытывали удовлетворение? Сколько любовников требовалось, чтобы затушить ваш пожар?

Рэнди стиснула зубы, удерживаясь от резкой отповеди. Вместо этого она произнесла:

— Вы считаете меня шлюхой, а я вас — преступником. Каждый из нас уверен, что другой заслуживает наказания. Прекрасно! Может, поладим на этом и перестанем оскорблять друг друга? Особенно сейчас. Не будем спорить и портить удовольствие, прошу вас. Здесь так чудесно! Я не хочу терять время на нелепые споры.

Он отвернулся. Его профиль отчетливо вырисовывался на фоне закатного неба, которое быстро темнело, проигрывая битву с наступающей ночью. Рэнди по достоинству оценила мужскую красоту этого профиля.

Интересно, какие чувства она могла бы испытывать к Ястребу О'Тулу, если бы познакомилась с ним в другое время и в другом месте? Если бы она не вышла так рано за Мортона Прайса, лишь бы сбежать из неуютного родительского дома, она могла бы встретить такого мужчину, как Ястреб, — сильного, но бескорыстного, прилагающего старания ради дела, а не ради долларов, лидера без личных амбиций. Она могла бы влюбиться в него без памяти.

Встряхнув головой, чтобы отогнать эти нелепые мысли, она попросила:

— Расскажите мне про своего деда.

— Что именно?

— Вы его любили?

Ястреб подозрительно нахмурился и, убедившись, что Рэнди не смеется над ним, ответил:

— Я уважал его.

Рэнди побуждала его к разговору, и вскоре он уже рассказывал ей о своем детстве и юности, иногда даже улыбаясь дорогим воспоминаниям. Но когда он закончил одним забавным случаем, его улыбка сменилась хмурой гримасой.

— Но чем старше я становился, тем острее сознавал, что у меня есть два недостатка.

— Какие?

— Во-первых, я индеец, а во-вторых, в отцы мне достался пьяница. Не один — так другой недостаток неизменно вызывал отвращение людей.

Рэнди мысленно прикинула, стоит ли рисковать, продолжая расспросы, но решила, что она ничего не потеряет и многое приобретет, если сумеет лучше понять его.

— Ястреб, — нерешительно начала она, — Лита рассказывала мне про вашего отца, про то, как он продал рудник мошенникам...

— Черт возьми! — Он выпрямился так резко, что по пояс высунулся из воды.

Вода отхлынула от его гладкой груди, капли стекали по темным волосам, которые курчавились ниже пупка. Рэнди не смогла бы отвести взгляда от этого интригующего местечка, если бы разгневанные глаза Ястреба не привлекли ее внимания.

— Что еще наболтала вам Лита?

— Она не виновата, — поспешила заверить Рэнди. Ей не хотелось, чтобы у молодой женщины, нечаянно выдавшей секреты племени, начались неприятности. — Я сама расспрашивала о вас.

— Почему?

Рэнди озадаченно вскинула голову.

— Да, почему? Откуда такое любопытство к моей персоне?

— Я думала, что если узнаю о вашем прошлом, то смогу понять ваши мотивы. Так и вышло, — подчеркнуто произнесла она. — Теперь я знаю, почему вам так важно сохранить рудник. Вы хотите искупить вину своего отца. — Она коснулась его плеча. — Ястреб, никто не винит вас. Вы не виноваты в том, что...

Он стряхнул ее руку и выпрямился.

— Меньше всего мне нужна ваша жалость. Это вы должны просить меня сжалиться, миссис Прайс.

Развернувшись, он уже шел к берегу, когда Рэнди потянулась и схватила его за руку. Высунувшись из воды, она сразу предприняла словесную атаку:

— Я и не думала жалеть вас, несносный

упрямец! Я только пыталась представить себя на вашем месте, понять вас...

Ястреб схватил ее за плечи и приподнял над водой.

— Вы никогда в жизни не поймете меня, потому что у вас светлая кожа! Над вами никогда не насмехались расисты, не льстили лживые заступники. Вам никогда не приходилось каждый день доказывать свою состоятельность как человеческого существа. Ваш успех не измеряли, прибавляя «несмотря на...», а ваши недостатки — «потому что...». Вы завоевали благосклонность общества с самого дня рождения. А я до сих пор пытаюсь добиться его.

Рэнди высвободилась из тисков его рук.

— Разве эта борьба еще не утомила вас? Неужели вам никогда не хотелось махнуть на нее рукой? Никто и не думает уязвлять ваше самолюбие! — выкрикивала она, уткнув в грудь Ястреба указательный палец. — Никто не взваливает на вас грехи вашего отца, никто, кроме вас! Вы сами создаете себе проблемы, считая, что заслуживаете наказания за его поступки. Это глупость. Абсурд!

Хмурые морщины на лбу Ястреба разгладились, когда он попытался надеть на себя маску равнодушия, но глаза выдали его. В них кипела ярость.

— Вы забыли свое место.

— Мое место! — вскричала она. — Где, по-вашему, может быть мое место?

— Под мужчиной, — отрезал он, притягивая ее к себе.

Склонив голову, он крепко поцеловал ее. Рэнди извивалась в его объятиях, пытаясь вырваться, но Ястреб не разжимал рук. Его язык требовательно касался ее губ, пока они не приоткрылись, а затем умело погрузился во влажные и горячие глубины рта. Он наносил дразнящие удары языком, лишая ее желания сопротивляться. И вместо того чтобы вырываться, Рэнди придвинулась ближе.

Она ответила на поцелуй, принимая изощренные ласки. Но ее словно током ударило, когда Ястреб начал нежно посасывать кончик ее языка. Придя в себя после этого потрясения, она стала впитывать новые ощущения с неутолимым любопытством и плотским восторгом.

Ее нагие бедра касались его ног. Его грудь вздымалась буграми и прижималась к ее соскам каждый раз, когда он передвигал руки, чтобы крепче обнять ее. Рэнди негромко застонала, ощутив животом могучее свидетельство его желания.

Ястреб отстранил ее. Несколько минут они смотрели друг на друга в упор, стараясь отдышаться. Ветер холодил разгоряченные тела, от горного воздуха кружилась голова. Вода омывала их ноги. Но ничто не могло ослабить их страстного влечения друг к другу.

Ястреб перевел взгляд на ее грудь, и Рэнди услышала прерывистый вдох. Ее соски про-

196

ступали под мокрой тканью, прилипшей к телу. Ястреб потянулся к верхней пуговице ее рубашки. Загипнотизированная его взглядом, Рэнди не протестовала. Затем пришла очередь второй пуговицы. Он касался костяшками пальцев ее груди и живота, переходя от одной пуговицы к другой.

Наконец последняя пуговица была расстегнута, и он распахнул липнущую к телу, мокрую рубашку. Его взгляд долго блуждал по телу Рэнди, жадно изучая гладкие белые полушария грудей с темными заостренными сосками.

Издав низкий звук вожделения, он скользнул ладонями под рубашку и под руки Рэнди — так, что ее груди легли на его руки. Он испытывал их чувствительность, поглаживая твердые бусинки сосков. Они моментально отвечали на прикосновения. Быстро нагнув голову, он вобрал сосок в опаляющий, нетерпеливый рот.

Рэнди невольно выгнула спину и запрокинула голову, прижимаясь животом к его восставшей плоти. Подняв голову, он разразился потоком возбуждающих, сексуальных слов, наполнивших Рэнди нестерпимым трепетом, взяв за руку, повлек ее за собой на берег. Они улеглись на расстеленное одеяло.

— Добавь к моему списку еще одно преступление, — хрипло пробормотал он, полностью обнажая ее тело.

Нагнувшись, он стал жадно целовать ее живот, грудь, то и дело возвращаясь к губам. Бархатистый кончик его возбужденного фаллоса уже сочился жемчужной влагой, когда он наконец проник в нее. Он вонзался в нее, погружался все глубже, наносил удары, спеша достичь вершины.

Рэнди задохнулась, потрясенная его силой и властностью. Пока он скользил внутри ее, казалось, сияющее небо распахнулось над ней. От радужного блеска Рэнди зажмурила глаза, но и в темноте перед ней вспыхивали снопы искр. Ее тело раскалилось, превратилось в пылающую звезду. Она задрожала. Только тогда Ястреб зарылся лицом в ее волосы и покорился взрыву освобождения.

Лежа в объятиях Ястреба под одеялом, Рэнди уткнулась лицом ему в грудь. Робко поцеловав его, она провела по упругой коже кончиками пальцев.

— Я всего лишь еще одна женщина, сопротивление которой растаяло в этом озерке...

— Нет. — Перевернувшись на бок, он просунул ладонь между ее бедрами, нежно сжимая холмик. — Ни у одной из них не было белокурых волос.

— Ястреб... — выдохнула она еле слышно, пока его большой палец дерзко скользил по светлым завиткам. Ей с трудом удавалось держать глаза открытыми. — Ты назвал меня Мирандой.

Рука Ястреба застыла.

— Что?

— Когда ты... В общем, ты назвал меня Мирандой.

Он отдернул руку и отстранился. Его лицо мгновенно застыло, лишенное всякого выражения, словно на него набросили покрывало.

— Ястреб!

— Вставай, нам пора возвращаться.

Он поднялся и протянул ей руку. Рэнди приняла ее, украдкой подхватив с земли трусики. Она чуть не запуталась в них, но Ястреб, похоже, не заметил ее неловкости. Он одевался торопливыми, порывистыми движениями. Рэнди передернулась, надевая холодную и мокрую рубашку, но делать было нечего. Когда они оделись, Ястреб снова взял ее за руку и повел по проходу в скале. Протиснувшись сквозь расщелину, они оказались рядом с машиной.

Рэнди потянула Ястреба за руку:

— Почему ты назвал меня Мирандой?

— Сам не знаю. Не придавай этому значения.

— Я и не придавала — в отличие от тебя. Тебя встревожил собственный поступок. Почему?

Мгновение он стоял потупившись и наконец, уставившись на нее в упор, произнес:

— Я хотел отличаться от остальных.

— От кого?

— От остальных твоих любовников.

На обратном пути в поселок оба молчали. К тому времени как Ястреб остановил машину перед своей хижиной, Рэнди поняла: он сожалеет о том, что случилось. Его лицо было замкнутым, губы сжаты — Рэнди полагала, что он осуждает ее бесстыдное поведение. Не в силах вынести его мрачный вид, она избегала смотреть Ястребу в лицо.

Он вышел из машины первым и обошел ее, чтобы открыть дверцу для Рэнди. Она поднялась, но не успела сделать и шагу, как Ястреб преградил ей путь. Рэнди стояла, устремив взгляд в землю.

Он коснулся ее подбородка.

— Я не надел презерватив.

— А я даже не вспомнила о нем.

После тягостной паузы он добавил:

— Такую оплошность я допустил впервые.

Рэнди замерла, затаив дыхание. Ястреб нечаянно признался, что считает ее особенной, по крайней мере не такой, как все. Это значило немного, но все же кое-что значило. Рэнди предвидела, что ей понадобятся всевозможные оправдания, когда она будет вспоминать о случившемся.

— Со мной такого тоже не случалось.

— Значит, с другими любовниками ты не забывала об осторожности?

Она покачала головой, сморгнула крупные соленые слезы и, облизнув губы, хрипло пробормотала:

200

— У меня не было других любовников. Ни единого. Только муж. А теперь ты. Клянусь тебе...

Никогда еще Рэнди не видела такой яркой вспышки в его глазах. Пытаясь приглушить ее, он подозрительно прищурился, а спустя несколько секунд отступил и взял Рэнди под руку.

— Пойдем.

— Куда? — спросила Рэнди, заметив, что Ястреб ведет ее прочь от хижины.

— Я думал, ты хочешь пожелать Скотту спокойной ночи.

Она споткнулась, спеша догнать его и не в силах перевести взгляд с его лица на неровную тропу. Ей не давала покоя мысль о загадочной натуре этого человека.

* * *

Тайна Ястреба О'Тула осталась неразрешенной и на следующий день.

После того как Рэнди поцеловала Скотта перед сном и полчаса поболтала с ним, она вернулась вместе с Ястребом в его хижину. Втайне Рэнди была рада тому, что Скотт остался у Эрни и Литы. Мальчик не скучал, а Рэнди с нетерпением предвкушала возможность провести всю ночь наедине с Ястребом.

Но больше он не стал заниматься с ней любовью, как она ждала и даже надеялась. Они легли в кровать вдвоем. Медленно, растягивая удовольствие, он раздел ее, затем уложил рядом с собой под одеяло и долго разглядывал ее разметавшиеся по подушке волосы. Его ладони скользили по телу Рэнди с чуткостью скульптора. Однако он даже не поцеловал ее.

Ночью Рэнди проснулась, почувствовав, как сжимаются его руки, а ноги беспокойно касаются ее ног. Выдохнув ее имя, он нежно поцеловал ее в затылок. Рэнди ощутила прикосновение его налитой плоти. Но Ястреб только крепче прижал ее к себе, положив руку ей на грудь. Наконец он заснул, и Рэнди тоже задремала, сумев успокоить бьющееся сердце.

Когда она проснулась, Ястреба уже не было в хижине. Рэнди встала, оделась, развела огонь, заправила постель и сварила кофе. Она корила себя за неуместные хлопоты, но каждый раз, бросая случайный взгляд на собственное отражение в любой блестящей поверхности, поражалась блеску глаз и блаженной улыбке, играющей на губах.

Кроме того, в низу живота она ощущала постоянное желание. Грудь отяжелела, соски стали чувствительными к легчайшему прикосновению. Ястреб не утолил ее голод, только распалил его.

Услышав звук открывающейся двери, Рэнди вздрогнула и обернулась. Ястреб помедлил на пороге, некоторое время вглядываясь в глаза Рэнди, прежде чем шагнуть в дом.

За ним вошли остальные вожди. Они не замечали никаких изменений в царящей здесь атмосфере — никто, кроме Эрни, который время от времени окидывал то Ястреба, то Рэнди своим проницательным взглядом.

— Приготовьте всем кофе, — отрывисто приказал Ястреб.

Рэнди не сдвинулась с места.

— Пожалуйста, — уже мягче добавил он.

Она послушалась, но не потому, что Ястреб вовремя вспомнил о вежливости, — вожди принесли с собой газету. Рэнди не терпелось узнать, как отреагировал губернатор, получив ее окровавленную рубашку и сопроводительное письмо.

— По крайней мере, мы привлекли его внимание, — заявил Ястреб, закончив читать статью в газете, описывающую дальнейшее развитие событий. — Он обещает проверить, на каком основании закрыли рудник, и, не привлекая к этому делу Прайса, лично связаться с ФБР. Он желает ознакомиться со всеми обстоятельствами похищения Рэнди и Скотта, но, с другой стороны, он предупреждает: если Рэнди будет подвергаться физическому насилию, он воспользуется своей властью и добьется для нас самого сурового приговора.

Ястреб перевел взгляд на Рэнди. Ее щеки потеплели, она опустила глаза, не зная, заметил ли он сам, что назвал ее по имени.

— Что же нам теперь делать? — спросил один из членов совета.

Ястреб отпил кофе из кружки, поданной Рэнди.

— Пока не знаю. Мне надо подумать. Сегодня вечером, перед ужином, мы соберемся еще раз и обсудим планы. А пока отдыхайте. — Он обвел взглядом лица собравшихся, одно за другим. — Будем надеяться, что вскоре мы сможем вернуться к работе.

После ухода мужчин в хижину зашла Лита с Донни и Скоттом. Мальчики боролись на полу, пока Ястреб беседовал с Эрни. Рэнди с любопытством прислушивалась, но мужчины не повышали голоса. Казалось, Ястреб что-то доказывает Эрни, а Эрни не соглашается. Очевидно, спрашивать совета у нее никто не собирался, и потому Рэнди вызвалась помочь Лите приготовить завтрак. Они позавтракали все вместе, усевшись вокруг стола в хижине Ястреба.

Разговор лился, не умолкая. Со стороны никто не догадался бы, что ее и Скотта здесь держат в заложниках, размышляла Рэнди. Скотт попросил Ястреба помочь ему починить рогатку.

Во время ремонта мальчику пришлось выслушать нотацию о безопасном использовании этого оружия.

— Мама, мы ведь еще не скоро уедем домой? — Вопрос Скотта стал для Рэнди полной неожиданностью. Она не сразу нашлась с ответом:

— Я... не знаю. А почему ты спрашиваешь?

— Лучше бы мы побыли здесь подольше. Мне здесь нравится.

После этих слов он бросился к двери вдогонку за Донни. В хижине, где остались взрослые, повисло неловкое молчание. Его нарушила Лита. Обняв Эрни за плечи, она неуверенным движением поднялась.

— Мне нездоровится.

Эрни вскочил с быстротой, изумившей Рэнди, и повел жену прочь.

— Что стряслось, черт возьми? — пробормотал Ястреб, как только Рэнди закрыла за супругами дверь.

— Лита беременна.

Минуту Ястреб смотрел на нее широко раскрытыми глазами, а потом перевел взгляд на дверь, словно сквозь нее мог увидеть Эрни с его молодой женой. Выругавшись вполголоса, он запустил все десять пальцев в свою густую шевелюру, отводя от лица прямые пряди. Поставив локти на стол, он закрыл лицо ладонями. Рэнди бесшумно подошла к нему.

— Разве ты не рад за них?

— Рад.

— По тебе этого не скажешь.

Он поднял голову.

— Если Эрни признают виновным в этом преступлении, его посадят.

Рэнди буквально рухнула на стул напротив него.

— Наконец-то вы прозрели, мистер О'Тул! Об этом я твержу вам уже который день: вы все попадете в тюрьму.

Ястреб покачал головой:

— Сделку с Прайсом заключил я. Остальным я сообщил, что в случае чего беру на себя всю ответственность. Я взял с них страшную клятву: если меня арестуют, все они мгновенно разъедутся в разные стороны и залягут на дно.

Рэнди сочла такое великодушие чрезмерным, но не могла не восхититься самопожертвованием Ястреба.

— Твой жест благороден, но самое лучшее, на что они могут рассчитывать, — это на жизнь беженцев.

— Такая жизнь лучше тюрьмы.

— Кому как. А как насчет Эрни? Разве он не дал клятву?

— Дал, только заявил: если я попаду в тюрьму, он сдастся полиции.

— Насколько я понимаю, Лита об этом не знает.

— Не сомневаюсь.

Он поднялся и начал вышагивать по хижине. Рэнди собрала со стола посуду и вымыла ее в тазу с водой, подогретой на плите. Она была настолько поглощена проблемами Ястреба, что почти не замечала неудобств.

Покончив с посудой, она обернулась и увидела, что Ястреб отпирает крохотным позолоченным ключом переносной сейф.

— Что это?

— Документы по руднику «Одинокая пума». Я привез их с собой.

Рэнди ошарашенно уставилась на беспорядочную кучу бумаг, которую Ястреб выложил на стол.

— Эта груда обрывков и есть документы?

— Я — инженер. Я знаю, как искать серебро, знаю безопасные и экономически выгодные способы его добычи. Знаю маркетинг. Но я не бухгалтер и не секретарь.

— Ты мог бы нанять помощника.

— До этого у меня не доходили руки. — Ястреб уселся. — Должно быть, здесь найдется что-нибудь, что я пропустил, какая-нибудь зацепка...

Рэнди снова уселась за стол напротив него. По мере того как Ястреб просматривал и одну за другой откладывал бумаги, она придвигала их к себе и прочитывала сама, а потом раскладывала в стопки, отделяя налоговую документацию от платежных ведомостей и контрактов.

Замысловато выругавшись, Ястреб отшвырнул копию контракта, по которому права на рудник «Одинокая пума» передавались инвесторам. Рэнди прочла его. На первый взгляд контракт показался ей стандартным. Сумма, вырученная индейцами от продажи, могла бы показаться впечатляющей, если не сравнивать продолжительность срока ее выплаты с потенциалом закрытого рудника.

Затем, уже внимательнее перечитывая контракт, Рэнди задержалась на одном из пунктов. Ее сердце радостно дрогнуло, но она тщательно прочла его в третий раз, убеждаясь, что в приступе оптимизма она не поспешила с выводами.

— Ястреб, что это? — спросила она, показывая отчеты об оценке собственности.

— План местности. Оценщики составляют их, чтобы...

— Это мне известно, — раздраженно перебила она. — Моя работа связана с оценкой недвижимости.

Эта информация оказалась для Ястреба полной неожиданностью.

— Что? Ты работаешь?

— Разумеется. Как, по-твоему, я могу обеспечивать Скотта и себя?

— Но я думал, что Прайс...

— Нет, — возразила она, твердо покачав головой. — Я никогда не просила у него денег. Даже алиментов на ребенка. Я не хотела быть хоть чем-то обязанной ему... Итак, — перевела разговор Рэнди, раскладывая карту на столе между ними, — что это? Вот эта территория справа. — Она провела пальцем по пунктирной линии на плане, очерчивающей небольшой участок земли.

Губы Ястреба скривились в горькой усмешке.

— Открытое поле — точнее, пастбище, где мы пасли скот.

— Скот?

— Племени принадлежало несколько сотен голов. Мы выращивали скот на мясо.

— А теперь?..

— Нет пастбища — нет скота. С продажей рудника мы потеряли все.

К удивлению Ястреба, Рэнди улыбнулась.

— Ты хочешь сказать, что новые владельцы распорядились не только рудником, но и этим участком?

— Пастбище обнесли оградой из колючей проволоки и через каждые несколько ярдов установили знаки «Вход воспрещен». Полагаю, это и означает, что они распорядились участком.

— Значит, они сделали это незаконно.

Брови Ястреба сошлись на переносице.

— Что ты имеешь в виду?

— Смотри, это пастбище... площадью несколько квадратных миль, верно? — Она дождалась утвердительного кивка. — Участок обозначен на плане, но ни разу не упомянут в контракте.

— Ты уверена? — Ястреб не смог сдержать волнения.

— Ястреб, я целыми днями изучаю такие планы, проверяя все до мелочей, прежде чем собственность перейдет из рук в руки. Я знаю, о чем говорю. Эти инвесторы не просто мошенники, они болваны. Они приобрели рудник впопыхах, очевидно, надеясь уклониться от уплаты налогов в конце года.

Дотянувшись до руки Ястреба, Рэнди пожала ее.

— Пастбище по-прежнему принадлежит племени, Ястреб. А если ты сообщишь о незаконном захвате участка губернатору, уверена, он распорядится подробно проверить все документы о продаже. Мортон — ненадежный посредник. Вот это, — она хлопнула ладонью по контракту и плану, лежащим перед ней, — принесет тебе в сто раз больше пользы, чем вмешательство Мортона.

Ястреб уставился на бумаги.

— Мне никогда и в голову не приходило изучить контракт до последней буквы. Черт побери, я был слишком зол! Каждый раз при мысли о нем меня мутило. Я не мог заставить себя даже взять его в руки.

— Не вини себя за небрежность, просто воспользуйся информацией. Лучше поздно, чем никогда. — Рэнди проследила, как Ястреб сгребает со стола бумаги и запихивает их в сейф, пренебрегая подобием порядка, созданным Рэнди. — И все-таки твоя система хранения документации оставляет желать лучшего.

Ястреб ответил ей кривой усмешкой. Заперев сейф, он подхватил его под мышку и обошел вокруг стола. Остановившись за спиной Рэнди, он захватил в кулак полную пригоршню ее волос и оттянул ее голову назад.

— Расскажи мне о своих любовниках.

Она не дрогнула.

— Я же сказала еще вчера: у меня их не было. Никогда не было.

— Почему же ты не отрицала эти омерзительные обвинения?

— А зачем? Ведь они были голословными. Я не хотела доставлять Мортону удовольствия, унижаясь и оправдываясь. У Мортона были любовницы. Он изменял мне с первых дней нашей совместной жизни. После того как его избрали в конгресс, он, очевидно, считал, что ему положено иметь несколько женщин, что они принадлежат ему по праву. Он заводил романы прямо у меня на глазах, зная, что ради Скотта я любой ценой постараюсь сохранить семью. Но наконец мое терпение лопнуло, мне надоело прощать ему измены. Я подала на развод. Он угрожал, что потребует безраздельного опекунства над Скоттом, если я разведусь с ним на основании неверности. Мортон опасался, что это повредит его репутации.

— Он бы никогда не добился опекунства над мальчиком.

— Возможно, но мне не хотелось подвергать Скотта такой пытке — грязному судебному разбирательству, о котором бы взахлеб писали газеты. Мортон это понимал. Кроме того, я сомневалась, сумею ли выиграть дело. У Мортона хватает друзей в самых влиятельных кругах, способных под присягой подтвердить, что я соблазнила их и спала с ними.

— Что это за друзья?

— Люди, которые обязаны Мортону своим политическим положением и карьерой.

— Почему же ты молчала, когда тебя обвиняли в неверности? Зачем позволяла мучить себя?

— Когда Мортон начал распускать слухи о моих многочисленных романах, моя родная мать только покачала головой и упрекнула меня в том, что я не проявила осторожности. Я не стала оправдываться даже перед ней. Зачем? Но с тех пор ее мнение перестало волновать меня.

— Тогда зачем же ты сейчас рассказала мне обо всем?

Она промолчала и лишь пристально посмотрела ему в глаза. Ее невысказанный ответ был очевиден: мнение Ястреба многое значило для Рэнди.

Он по-прежнему держал ее за волосы, но Рэнди не чувствовала боли. Она ощущала только жаркий взгляд Ястреба на своих губах. Он притянул ее к себе. Рэнди подняла руку и положила ладонь на бедро Ястреба. Он испустил невольный стон.

Тяжело дыша, он пробормотал:

— Если ты не перестанешь так смотреть на меня, я...

Его прервал стук в дверь. Рзнди поспешно отдернула руку. Ястреб отпустил ее волосы и шагнул в сторону, крикнув:

— Войдите!

Его голос стал таким же мрачным, как глаза, в упор смотрящие на Рэнди. Эрни, шагнув через порог, вмиг оценил ситуацию. Воздух в комнате потрескивал от напряжения.

— Я зайду попозже, — заявил он и попятился к крыльцу.

— Нет, — возразил Ястреб, — я как раз шел к тебе. Нам надо о многом поговорить.

Выйдя из хижины, он даже не закрыл за собой дверь.

11

В тот вечер настроение людей, собравшихся у костра, казалось почти праздничным. Совет племени наконец-то придумал, как вернуть рудник. Индейцы еще не знали, в чем именно состоит план, но это их не тревожило. Они просто доверяли совету и знали, что вожди вступятся за них. Всем вождям, а особенно Ястребу, в тот вечер оказывали небывалое уважение и почет.

Джонни приблизился к одеялу, на котором ужинали Ястреб и Рэнди. После своего неудавшегося побега, каждый раз, когда Рэнди видела юношу, тот усердно работал, словно пытаясь искупить свою вину. Подойдя поближе, Джонни вытянул руки параллельно земле — они больше не дрожали.

— Я не брал в рот ни капли уже три дня, — объявил он.

Лицо Ястреба осталось бесстрастным, но юноша и не надеялся заслужить улыбку.

— Ты привел в порядок машины и вернул себе мое доверие. Когда рудник снова будет нашим, потребуется ремонт оборудования.

Я назначу тебя главой ремонтной мастерской, если ты согласишься окончить курсы механиков в городе. Племя будет платить за твое обучение. Ты согласен?

— Да.

Ястреб смерил юношу одобрительным взглядом.

— Я позабочусь об этом как можно скорее.

Темные глаза Джонни блеснули, однако он отошел прочь, не сказав ни слова. Он перестал сторониться людей. Рэнди видела, как он приблизился к одной из девушек и смущенно заговорил с ней.

— Похоже, его разбитое сердце и уязвленное самолюбие идут на поправку.

Ястреб рассеянно согласился, но его внимание отвлекла приближающаяся пара. Молодой рослый красавец держался гордо, а девушка робко смотрела в землю перед собой.

— Добро пожаловать домой, Аарон, — поприветствовал Ястреб мужчину.

— Я пробуду здесь всего два дня. Занятия начнутся только в понедельник.

— Тебе хватило денег, чтобы заплатить за все?

Красавец кивнул. Переглянувшись с девушкой, он впервые выказал признаки волнения. Облизнув губы, он вновь обратился к Ястребу:

— Я прошу у тебя разрешения жениться на Январской Заре.

Ястреб перевел взгляд на Зарю. На миг приподняв ресницы, она снова уставилась в землю.

— А как же учеба?

— В мае я заканчиваю учиться, — напомнил ему Аарон. — Мы бы хотели пожениться на следующий год, в июне. А осенью Заря поступит в колледж, чтобы тоже получить диплом.

— Об этом вы должны сообщить совету.

— Я так и хотел сделать сегодня днем, но передумал — я знал, что у совета и без того немало неотложных дел. — Он бросил взгляд в сторону Рэнди. — Я беседовал с другими вождями — они согласны дать разрешение.

— Родные Зари согласны?

— Да.

— А сама она?

Молодой человек слегка подтолкнул вперед свою подругу. Она робко выговорила:

— Я хочу стать женой Аарона.

— Тогда я разрешаю вам пожениться, — заявил Ястреб, — но только после того, как ты закончишь учебу, Аарон, — торопливо уточнил он.

Пара почтительно поблагодарила его и поспешно удалилась. Прежде чем молодых людей поглотила тьма, Ястреб и Рэнди увидели, как Заря обняла жениха обеими руками за шею и страстно прижалась к нему.

— Сомневаюсь, что они дотерпят до июня.

— Они не дождутся даже следующего утра, особенно если Заря будет и дальше так пылко его обнимать, — насмешливо возразила Рэнди.

Ястреб быстро повернул голову и сурово

нахмурился, пытаясь сдержать улыбку, вызванную ее язвительным замечанием.

— Надеюсь, что она не забеременеет и не вынудит меня перенести дату свадьбы. Мы потратили немало средств, чтобы дать Аарону образование. До сих пор он оправдывал наши ожидания. Я боялся, что в колледже он познакомится с какой-нибудь белой девушкой и...

— И что же? — спросила Рэнди, когда Ястреб замолчал, а фраза осталась незаконченной.

— Ничего.

— Договаривай, — настаивала она.

— И захочет жениться на ней.

— Что же в этом ужасного? — У Рэнди заныло сердце. Ей не хотелось слышать ответ, но избежать его было невозможно.

— Нам нужны энергичные, образованные молодые мужчины, такие, как Аарон. Если бы он женился на белой женщине, вполне вероятно, что он покинул бы резервацию.

— И никогда бы не вернулся, — еле слышно добавила Рэнди то, что намеренно опустил Ястреб.

— Он мог бы жить в резервации, но не имел бы права голоса в совете. Балансировать между двумя культурами труднее, чем усидеть между двумя стульями. Выбор приходится делать раз и на всю жизнь.

Он отвернулся. Рэнди вглядывалась в его чеканный профиль на фоне пламени костра.

Ястреб был суровым, но справедливым вождем. Рэнди восхищалась его мудростью. Его не слишком строгие наказания действовали безотказно. Поскольку он редко кого-либо хвалил, его похвалу высоко ценили. Он принимал близко к сердцу беды каждого члена племени. Рэнди радовалась, впервые за всю свою жизнь встретив человека, чуждого эгоизма. До знакомства с Ястребом О'Тулом она и не подозревала, что такие люди существуют.

Но, продолжая наблюдать за ним, Рэнди вдруг поняла: Ястреб отчаянно одинок. Даже здесь, у костра, окруженный людьми его племени. Его непонятная отстраненность вызывала у Рэнди боль в сердце. Печаль сквозила в глубине его голубых глаз. Ястреб старательно скрывал ее, но время от времени эта печаль становилась очевидной любому постороннему наблюдателю. Постоянно помня о своем безрадостном детстве и взятой на себя вине, он страдал в молчании и одиночестве.

Но Рэнди не успела разобраться в вихре охвативших ее чувств: из темноты возник Скотт и уселся на одеяло рядом с ней.

— Привет, мама. — Непривычно мрачный, он заерзал, придвинулся ближе и прижался головой к груди Рэнди.

— Привет, дорогой. Где ты был? Я давно тебя не видела. Чем занимался?

— Ничем.

Рэнди вопросительно посмотрела на

Ястреба, но тот пожал плечами, не подозревая, что тяготит Скотта.

— Что-нибудь случилось?

— Нет, — буркнул Скотт.

— Ты уверен?

— Да. Только...

— Только что?

Мальчик выпрямился.

— У Донни скоро будет брат или сестра.

— Знаю. Это чудесная новость. Разве ты не рад за Донни?

— Рад, но он уже рассказывает об этом всем-всем. — Мальчик широко развел руками, словно желая охватить земной шар. — И говорит, что у меня никого не будет. Мама, может, мы заведем кого-нибудь? Ну пожалуйста!

На миг эта просьба лишила Рэнди дара речи. Опомнившись, она негромко рассмеялась и попыталась отделаться привычным родительским ответом на все случаи жизни:

— Поживем — увидим.

— Точно так же ты говорила про кролика, но так и не разрешила мне завести его. Я буду помогать тебе с малышом, обещаю! Пожалуйста!

— Скотт!

Усердные мольбы мальчика внезапно прекратились — его окликнул Ястреб.

— Что?

— Где твой нож?

Скотт вытащил нож из-за пояса. Ястреб положил его на ладонь и осмотрел.

— Больше ты не терял его?

Очевидно, вернув нож Скотту, Ястреб не сказал, что мать отобрала его у мальчика во время объятий.

— Нет, сэр.

— Правда? Думаю, за это ты заслуживаешь награды. Ты получишь ножны.

— У меня уже есть ножны, Ястреб.

— Но не такие, как эти. — Из кармана рубашки Ястреб вытащил тисненые кожаные ножны, вложил в них нож и протянул Скотту.

Мальчик принял подарок благоговейно, словно святыню.

— Вот это да! Откуда они у тебя, Ястреб?

— Они достались мне от деда. Когда мне было столько лет, сколько сейчас тебе, дед сам сделал мне эти ножны. Я хочу, чтобы ты бережно хранил их.

«И помнил меня». Ястреб не договорил, но Рэнди сердцем услышала эти слова, произнесенные голосом Ястреба. Подарок выглядел прощальным. При этой мысли ее сердце затрепетало в совершенно бессмысленной панике. Разве не она пыталась сбежать отсюда всего несколько дней назад? А теперь расставание с Ястребом О'Тулом казалось ей бедствием. Чем вызвана такая перемена?

Но она не успела задуматься над этим вопросом: подошли Лита и Эрни вместе с Донни, который был настолько потрясен видом ножен, что перестал хвастаться будущим братом.

220

— Ты хочешь, чтобы Скотт снова остался ночевать у нас? — спросил Эрни, переводя взгляд с Ястреба на Рэнди и обратно.

— Твоя хижина просторнее моей, — напомнил Ястреб. — Поэтому у вас Скотту будет удобнее.

— Он мог бы остаться с матерью в доме, который они занимали раньше.

Альтернатива Эрни не встретила одобрения у Ястреба.

— Там не топили несколько дней. Должно быть, внутри все отсырело.

— Скотт не доставляет нам никаких хлопот, — вмешалась Лита, не подозревая о нарастающем напряжении между мужчинами, и увела обоих мальчиков. Эрни собирался что-то сказать, но передумал и последовал за ней.

— Похоже, Эрни недолюбливает меня, — заметила Рэнди, когда Лита с мужем отошли подальше.

Одним плавным движением, без помощи рук Ястреб поднялся на ноги и помог встать Рэнди. Вместе они направились через поселок к его хижине.

— Эрни недолюбливает всех белых женщин.

— Так я и поняла.

— Он считает их слишком агрессивными и хитрыми.

— Мы недостаточно покорны?

— Вот именно.

— А ты как считаешь?

— По-моему, случай с Эрни безнадежен, с точки зрения феминисток.

— Я хотела узнать, как ты относишься к белым женщинам.

Они вошли в хижину. Ястреб плотно прикрыл дверь, отвечая вопросом на вопрос:

— Тебя интересует мое отношение к какой-нибудь определенной женщине?

Рэнди повернулась к нему лицом:

— Вот именно. Как ты относишься ко мне?

Ястреб стоял в нескольких дюймах от Рэнди.

— О тебе у меня еще не сложилось определенного мнения.

— А каким было первое впечатление? — игриво спросила Рэнди.

— Я сразу захотел лечь с тобой в постель.

Она затаила дыхание.

Комнату освещали только отблески огня из приоткрытой дверцы печи. Извивающиеся тени плясали на грубых бревенчатых стенах и на полу. Мужчина и женщина смотрели друг другу в глаза.

Долгое время они стояли не шевелясь, а затем Ястреб с мучительной медлительностью провел обеими ладонями по волосам Рэнди. Приподняв их на затылке и с висков, он долго наблюдал за игрой пламени сквозь белокурые пряди.

— У тебя прекрасные волосы, особенно при свете огня.

222

С трудом проглотив ком, вставший в горле, Рэнди поблагодарила его за комплимент.

Ястреб сжал ее лицо в ладонях и коснулся большими пальцами ресниц.

— Цвет твоих глаз напоминает первые весенние листья.

Он обхватил руками шею Рэнди и на миг сжал пальцы вокруг нее, прежде чем перевести их ниже, к груди. Этим утром Рэнди надела чистую рубашку — она была ничуть не привлекательнее предшествующих, но Ястреб не замечал мешковатой одежды. Его явно больше интересовало то, что было скрыто под рубашкой. В выражении его глаз, которое сейчас он даже не пытался скрыть, читалось такое откровенное восхищение, что Рэнди чувствовала себя прекраснейшей женщиной на земле.

Его ладони скользнули по округлым холмикам ее груди.

— Разденься, — попросил он, убирая руки.

Рэнди отвела взгляд всего на одно мгновение, чтобы найти верхнюю пуговицу, а потом, не отрываясь от лица Ястреба, расстегнула рубашку и сбросила ее на пол. Она видела, как судорожно глотнул Ястреб и потянулся к ней, но в ту же секунду, не выдержав напряжения, закрыла глаза.

— Восхитительная грудь. — Ястреб любовно сжал ее. — Прекрасные, чувствительные соски. — Он глубоко, хрипло вздохнул, ощутив, как соски затвердели от его ласки.

Опустив голову, он лизнул один из них. Рэнди вздрогнула и слегка застонала. Он продолжал любовную игру, обводя набухшие бутоны шершавым языком, пока они вытягивались, словно желая коснуться его.

Очевидно, этого он и добивался. Быстро расстегнув рубашку, Ястреб нетерпеливым жестом отбросил ее. Положив сильные смуглые ладони на спину Рэнди, он притянул ее к себе. Их тела соприкоснулись. Застонав от наслаждения, он склонился и поцеловал Рэнди. Поцелуй был не жестким и требовательным, а глубоким и проникновенным, словно он хотел дотронуться до ее души.

Они касались друг друга телами, носами, щеками и подбородками. Вскоре Рэнди поняла, почему Ястреб не обнимает ее: он расстегивал джинсы. Покончив с ними, он сделал шаг назад.

Их дыхание сделалось неровным и торопливым, едва они оглядели друг друга. Наконец взгляд Рэнди спустился вниз по удивительно гладкой широкой груди Ястреба. Она обвела пальцем контур выпуклой грудной мышцы, последовала вдоль неглубокой впадины к плоскому животу, узкой талии и полоске темных блестящих волос. Она замерла у лунки пупка и помедлила, гадая, что ждет ее.

Ждать ей пришлось недолго. Ястреб подвел ее руку к открытой «молнии» джинсов, но окончательное решение предоставил принимать самой Рэнди, неожиданно отдернув руку.

Рэнди закрыла глаза и склонилась вперед. Повернув голову набок, она прижалась щекой к щеке Ястреба и только потом коснулась ладонью густой растительности. Ястреб вздрогнул. А когда Рэнди дотронулась до его разгоряченной плоти, он вскрикнул: «Миранда!» — и крепко обнял ее.

Она откинула голову, принимая его бурные поцелуи. Он избавил ее от трусиков и прижал к своим бедрам. Это прикосновение стало последней каплей, переполнившей чашу их терпения.

Метнувшись к кровати, Ястреб сел, прислонился к стене и усадил Рэнди на колени. Поддерживая снизу, он поцеловал ее, а потом принялся покрывать поцелуями живот, гладкие бедра, кустик светлых волос между ними. Опустившись еще ниже и не прекращая поцелуи, он одну за другой исследовал языком шелковистые складки женской плоти.

Почти мгновенно Рэнди испытала трепетное, головокружительное наслаждение. Прежде чем она опомнилась, Ястреб пронзил ее своим мощным оружием. Их губы сомкнулись в яростном и жадном поцелуе. Его руки на бедрах задавали ритм движению.

Отчаянно желая доставить ему удовольствие, Рэнди отбросила все запреты и была готова дать больше, чем он просил. Их тела лоснились от пота, раскалились от страсти, угрожающей спалить их.

Опустошенные, обессиленные, они отстранились друг от друга только для того, чтобы сбросить остатки одежды, а потом Ястреб привлек ее к себе и укрыл одеялом.

— Эрни осудил бы тебя, — прошептала она, касаясь губами его шеи.

— К черту Эрни! — сказал он ей на ухо.

Неожиданно удовлетворенная улыбка Рэнди угасла.

— Ястреб, я не хочу, чтобы из-за меня ты рисковал своим положением в племени.

Ястреб прижал ее к себе, обхватив рукой затылок.

— То, что случилось сегодня, ничего не изменит.

— Ты уверен?

— Абсолютно.

— Но я думала, если...

— Тсс! — Он осторожно провел большим пальцем по нижней губе Рэнди. — У тебя вспухли губы.

— Это от твоих поцелуев.

— Прости, если я причинил тебе боль.

— Нет, не причинил. — Приподнявшись, она прижалась к его губам. Они слились в долгом, сладком, обжигающем поцелуе, пока нетерпеливые руки ласкали ее.

Рэнди почти не помнила, что было дальше. Распластавшись на груди Ястреба, разметав золотистые волосы по смуглой коже и слушая ритмичное биение его сердца, она провалилась в сон.

Она проснулась, почувствовав, что рядом нет горячего, сильного тела. Не открывая глаз, она попыталась придвинуться к нему ближе, пошарила ладонью, но ощутила лишь пустоту. Окончательно проснувшись, она обнаружила, что лежит в постели одна, удивленно повертела головой и успокоилась, лишь когда заметила стоящего у окна Ястреба. Он прислонился плечом к раме и смотрел вдаль, не шевелясь, видимо погруженный в свои мысли.

Он был по-прежнему обнажен и, видимо, не чувствовал холода в комнате. Натянув одеяло до подбородка, Рэнди воспользовалась преимуществом — Ястреб и не подозревал, что она разглядывает его. Рэнди залюбовалась широкими плечами, стройным торсом, всей его поразительно пропорциональной фигурой. Его ягодицы были упругими и округлыми, бедра — узкими и крепкими, икры — мускулистыми. Руки, ноги, ступни — Рэнди не нашла ни единого изъяна.

Она восхищалась телом Ястреба как одним из удивительнейших творений господа. Как женщина, она пылала желанием. Это тело было способно доставить ей ни с чем не сравнимое наслаждение, вызвать у нее ощущения, о существовании которых Рэнди даже не подозревала. Ястреб пробудил к жизни ее чувственность. Он сотворил невероятное, непостижимое чудо.

Переполненная чувствами, Рэнди отбросила одеяло и подошла к Ястребу. Встав у него за спиной, она прижалась к нему, провела руками по бокам и скрестила их на его широкой груди.

— Доброе утро, — произнесла она, поцеловав Ястреба в лопатку.

— Доброе утро.

— Почему ты поднялся так рано?

— Мне не спалось.

— Что же ты не разбудил меня?

— Это было ни к чему.

Возможно, следовало оставить его наедине с мыслями. Судя по всему, Ястреб был не расположен разговаривать, а отвечать на вопросы — тем более. Но Рэнди не хотелось возвращаться в постель, которая без Ястреба казалась пустой и холодной.

— Куда ты смотришь?

— На небо.

— А о чем думаешь?

Его грудь поднялась и опала в глубоком беззвучном вздохе.

— О своей жизни, о матери, отце, брате, который родился мертвым. Вспоминаю своего предка. Ирландца, который взял в жены индианку и наградил меня глазами белого человека.

Рэнди не терпелось сказать, как удивительны его глаза, но она решила, что Ястребу уже давно известно об этом. Кроме того, Рэнди еще не знала, как Ястреб относится к своим глазам.

— Они раздражают тебя, потому что не такие, как у индейцев?

Он равнодушно пожал плечами, но Рэнди почувствовала, что ее догадка верна. Покрывая поцелуями спину Ястреба, она прижала ладони к его животу и медленно повела вниз. Они скользнули по волосам, мимоходом коснулись его плоти и достигли верха бедер. Рэнди почувствовала, как он напрягся, но ничем другим не ответил на ее прикосновение.

— Ты прекрасен, Ястреб О'Тул. Ты весь прекрасен.

Ее ладони двинулись в обратный путь, но на этот раз ласки были менее расчетливыми и более соблазнительными. Внезапно Ястреб схватил ее за руки и удержал их.

— Иди в постель, — отдал он краткий и хриплый приказ. — Здесь холодно.

Рэнди издала приглушенный возглас досады и быстро отдернула руки. Чувствуя себя грубо отвергнутой, она отвернулась, но не успела сделать и двух шагов, как Ястреб схватил ее за руку и притянул к себе.

— Ты думаешь, я не хочу тебя. — Это было утверждение, а не вопрос. — Ошибаешься, — хрипло добавил он.

Рэнди не успела опомниться, как он подхватил ее, прижал к стене и вонзился в ее лоно. Их соединенные ладони распластались по стене по обе стороны от головы Рэнди. Зарывшись лицом в ее волосы, Ястреб застонал, погружаясь в нее.

— О господи! Я не хочу этого, но ничего не могу поделать! Я не хочу тебя, потому что это слабость!

Ошеломленная, Рэнди обхватила его талию ногами и придвинула его ближе. Ее бедра невольно задвигались, подстраиваясь к ритму.

— Нет, не шевелись, — задыхаясь, пробормотал он. — Ничего не делай, только держи меня в себе. Пусть все длится как можно дольше. Обнимай меня. Дай мне почувствовать, как ты окружаешь меня. Дай удержаться... О нет, нет! — Лихорадочный шепот сменился безудержным взрывом. Стон освобождения был низким, долгим и пронизанным отчаянием.

Несколько минут спустя он поставил Рэнди на ноги. Рэнди смотрела ему в глаза, требуя объяснений. Она не оскорбилась, а встревожилась. Даже возбуждение не прогнало страх, но Рэнди не могла понять, что ее пугает. Прежде чем она успела потребовать у Ястреба ответа, предрассветную тишину разорвал знакомый звук.

Бросившись к окну, Рэнди вгляделась в даль. Восходящее солнце осветило горы. Далеко внизу она увидела фигурки, высыпавшие из машин, — они напоминали черных насекомых, спешащих по каменистому склону.

— Ястреб! — в тревоге воскликнула она. — Это полицейские! Но как они здесь оказались? Как нашли нас?

— Их вызвал я.

12

ы? Вызвал полицию?! Но зачем? Он дотянулся до своих джинсов и надел их.

— Чтобы сдаться. — Эту ошеломляющую для Рэнди новость Ястреб произнес, не выдав своих эмоций ни голосом, ни выражением лица. — Лучше оденься. Скоро тебе придется выйти.

— Ястреб! — вскрикнула она, схватила его за руку и развернула к себе. — Что происходит? Зачем ты это сделал? Я думала, ты хочешь обратиться к губернатору...

Ястреб отмахнулся от ее руки и начал швырять ей одежду — один предмет за другим.

— Копии документов были отправлены губернатору еще вчера. Через несколько часов, когда он уже успел прочитать документы, я позвонил ему.

— Ты говорил с самим губернатором?

— Добиться этого было непросто, но после нескольких прозрачных угроз в твой адрес он согласился поговорить со мной.

— И что же он сказал? — нетерпеливо поторопила его Рэнди.

Ястреб повернулся к ней спиной, продолжая одеваться.

— Сказал, что подробно разберется с этим делом, если я сдамся властям и отпущу тебя и Скотта. Я согласился, но при условии, что обвинение в похищении будет предъявлено мне одному. Он дал мне такие гарантии.

— Ястреб... — потерянно выговорила Рэнди, прижав смятую одежду к груди. — Это несправедливо...

— Жизнь всегда несправедлива. Одевайся.

— Но...

— Одевайся немедленно, иначе я вытащу тебя к воротам голой. Я не думаю, что это обрадует твоего бывшего мужа. — Таким резким и грубым он не был с первой ночи, проведенной во временном лагере после похищения. Челюсть Ястреба выпятилась вперед, в глазах горела холодная решимость. Этот взгляд напугал Рэнди больше, чем его грубый тон.

— При чем тут Мортон, если ты готов сдаться?

— Не знаю, но он наверняка ждет у ворот, чтобы принять тебя и Скотта с распростертыми объятиями.

— Ты хочешь отдать меня... то есть нас... Мортону?

Холодно блеснув глазами, он бесстрастно произнес:

— Мне все равно. Пока ты оставалась здесь, я относился к тебе как к развлечению. На тебя приятно смотреть. С тобой приятно быть рядом и... — Он кивнул в сторону смятой постели. — Если у тебя и правда никогда не было любовников, ни до развода, ни после, значит, твои таланты пропадают зря.

У Рэнди сдавило грудь от желания закричать, заставить его опомниться, но она сдержалась. Повернувшись спиной к Ястребу, она впилась зубами в нижнюю губу. Тело почти не слушалось ее, руки дрожали, одеться удалось с невероятным трудом. Только после этого Рэнди повернулась к Ястребу. С застывшим лицом он придержал дверь.

В конце тропы, ведущей к хижине, ждал Эрни вместе со Скоттом. Мальчик сонно щурил припухшие глаза. Эрни выглядел встревоженным. Завидев мать и Ястреба, Скотт бросился к ним навстречу.

— Мама, Эрни говорит, что мне пора домой. Это правда? Почему мы уезжаем?

Рэнди взяла его за руку и слабо улыбнулась:

— Боюсь, Скотт, это правда. Пришло время возвращаться домой.

— Но я еще не хочу домой! Я хочу остаться здесь и играть с Донни. Хочу увидеть, какой братик у него родится.

— Скотт!

Единственного слова Ястреба хватило, чтобы прервать поток капризных протестов ребенка.

— Ястреб, я...

Немигающий взгляд Ястреба окончательно заставил Скотта замолчать. Удрученный, мальчик опустил голову и прижался к Рэнди. Эрни шагнул на тропу, преграждая Ястребу путь.

— Я пойду с вами, — заявил он.

— Мы же сотню раз говорили об этом. Не дури. Ты нужен здесь, своей жене и сыновьям. Позаботься, чтобы они выросли умными и сильными. Пусть станут убежденными и целеустремленными людьми.

Морщины на лице Эрни прорезались глубже. Он печально положил руку на плечо Ястреба и обменялся с ним долгим и многозначительным взглядом. Наконец Эрни убрал руку и отступил.

Все трое — Ястреб, Рэнди и Скотт — вышли на центральную улицу поселка, ведущую к воротам. Рэнди остро чувствовала устремленные на нее из окон взгляды — выжидательные и хмурые. За воротами машины с номерами столицы штата выстроились полукругом. Рэнди узнала в человеке, стоящем в центре полукруга, губернатора штата. Рядом с ним беспокойно переминался с ноги на ногу Мортон. При виде бывшего мужа к горлу Рэнди подкатила тошнота.

— Вон папа, — заметил Скотт равнодушным тоном.

— Да.

— Откуда он здесь взялся?

— Должно быть, соскучился по тебе и приехал повидаться.

Скотт промолчал, но не ускорил шаг — напротив, его движения стали неохотными и медлительными.

— Мама, а что делают здесь полицейские? Мне страшно.

— Тебе нечего бояться, Скотт. Они хотят отвезти тебя домой с эскортом, только и всего.

— А что это такое?

— Эскорт полиции сопровождает только очень важных людей, таких, как президент.

— Да? — Похоже, мысль о сопровождении полицейских совсем не польстила мальчику.

Неподалеку от ворот Ястреб остановился. Рэнди обернулась и устремила на него отчаянный и вопросительный взгляд.

— Ты должна выйти к ним первой. Я попросил их увезти тебя и Скотта прежде, чем они арестуют меня, чтобы мальчик этого не видел.

Ястреб в наручниках на заднем сиденье полицейской машины. Рэнди внутренне содрогнулась, представив, что это могло случиться на глазах у Скотта.

— Спасибо, что ты позаботился об этом. Конечно, так будет лучше.

Несмотря на сказанные ранее суровые слова Ястреба, сердце Рэнди разрывалось от любви и отчаяния. Ей хотелось запомнить его лицо. Возможно, в последний раз она видит его вот так — на фоне неба, цветом поразительно напоминающего его глаза, среди резко очерченных силуэтов скал, гордых, как его чеканный профиль.

Тело Ястреба было высоким и гибким, как вечнозеленые деревья поодаль. Ветер взъерошил его волосы, и они напомнили Рэнди черные глянцевые крылья величественной хищной птицы.

— Ястреб, разве ты не поедешь с нами? — дрогнувшим голосом спросил Скотт. Еще не понимая происходящего, он предчувствовал разлуку.

— Нет, Скотт. Я займусь делом с этими людьми, но не раньше, чем ты уедешь.

— Я хочу остаться с тобой.

— Так нельзя.

— Ну пожалуйста! — жалобно попросил Скотт.

Мускул на щеке Ястреба дрогнул, но выражение лица ничуть не смягчилось.

— Где твой нож и ножны?

Скотт с блестящими от слез глазами и вздрагивающей губой прикоснулся к ножнам, прикрепленным к поясу.

— Хорошо. Я поручаю тебе охранять свою маму. Ты обещаешь?

— Да, обещаю.

Ястреб крепко сжал плечо Скотта, как сделал на прощание Эрни, отдернул руку и торопливо отступил назад, словно разрывая незримые узы. Потом пристально взглянул в глаза Рэнди:

— Иди, иначе они встревожатся.

Рэнди думала о том, как много ей нужно сказать Ястребу — если бы у нее было время и если бы Ястреб согласился выслушать ее. Не понимая сама, откуда у нее еще берутся силы, она отвернулась и побрела вперед, подталкивая перед собой упирающегося Скотта.

Они вместе вышли за ворота. Мортон бросился вперед и схватил ее за плечи.

— Рэнди, с тобой все в порядке? Он только угрожал тебе или?..

— Убери руки! — отрезала Рэнди.

Мортон изумленно заморгал, но, вынужденный вести себя достойно на глазах у зрителей, подчинился.

— Скотт! Скотт, с тобой все хорошо, сынок?

— Да, папа. Почему я должен уехать домой?

— Что?

— Губернатор Адамс! — позвала Рэнди.

Этот политический деятель был щедро одарен талантом оратора и проницательным умом, очевидно, в качестве компенсации за невзрачную внешность — невыразительное лицо, выпирающий живот и преждевременно облысевшую голову. Он шагнул вперед.

— Да, миссис Прайс? Чем могу вам помочь? — спросил он, пожимая ей руку. — Вы пережили страшное испытание. Я готов сделать для вас все, что в моих силах, только скажите.

— Благодарю. Не могли бы вы приказать полицейским убрать оружие?

Губернатор Адамс на миг растерялся. Он ожидал услышать просьбу о еде, воде, чистой одежде, медицинской помощи, защите. Но слова Рэнди застали его врасплох.

— Миссис Прайс, они держат оружие наготове ради вашей безопасности. Мы не можем надеяться на обещание мистера О'Тула отпустить вас невредимыми.

— Почему? — осведомилась Рэнди. — Неужели мы выглядим пострадавшими?

— Нет, но...

— Разве мистер О'Тул не дал вам слово, что не причинит нам вреда? — осененная догадкой, спросила она и по смущенному лицу губернатора поняла, что не ошиблась.

— Да, он дал слово.

— Тогда прикажите убрать оружие, иначе я не сдвинусь с места. Мой сын напуган.

Мортон подбоченился:

— Черт возьми, Рэнди, что ты...

— Не смей обращаться ко мне таким снисходительным тоном, Мортон.

— Да, — поддакнул Скотт. — Ястреб рассердится, если ты обидишь маму.

— Ну, это мы еще посмотрим...

Губернатор Адамс удержал Мортона за руку. Он еще ничего не понимал, но, как человек умный и проницательный, догадался, что все обстоит совсем не так, как он представлял.

— Прошу вас, подождите, мистер Прайс. Очевидно, миссис Прайс хочет что-то сказать.

— Правильно, я готова все объяснить. Вот только как быть с оружием?

Адамс смерил ее внимательным взглядом, а потом посмотрел поверх ее плеча на мужчину, стоящего на выступе скалы на фоне неба. Взмахом руки губернатор подозвал старшего агента ФБР. Между ними завязалась краткая, но бурная дискуссия. Рэнди пришлось настаивать на своем так же упорно, как в споре с губернатором, но наконец агент отдал приказ убрать все оружие. Только после этого напряжение, непрерывно нараставшее в груди Рэнди, начало спадать.

— Вы получили вчера папку с копиями документов от мистера О'Тула?

— Да, получил, — кивнул губернатор Адамс. — Любопытные материалы.

— Вы говорили с ним по телефону относительно этих материалов и предстоящего расследования?

— Говорил.

— Значит, все это ни к чему. — Широким взмахом руки Рэнди обвела выстроившиеся полукругом полицейские машины.

— Этот человек сам согласился сдаться властям.

— Почему?

— Как это почему? — воскликнул Мортон. — Он совершил преступление!

— Он только осуществил его, но чья это была идея? — выпалила в ответ Рэнди.

Мортон побелел. Воспользовавшись его временным замешательством, Рэнди повернулась к губернатору, который недовольно и подозрительно нахмурил брови.

— Губернатор Адамс, в этом преступлении виноват только Мортон. Он обманул мистера О'Тула, пообещав ему, что положение в резервации улучшится, что рудник «Одинокая пума» будет возвращен племени, если мистер О'Тул сделает ему это «маленькое одолжение». Думаю, не стоит говорить, что Мортон преследовал только собственные интересы. Это похищение он использовал в целях рекламы перед ноябрьскими выборами.

Гневный взгляд губернатора недвусмысленно пообещал, что позднее Мортону придется ответить за все. Затем он вновь обернулся к Рэнди. Ему хотелось как можно скорее разобраться в этом сложном деле.

— Факт остается фактом, миссис Прайс: мистер О'Тул похитил из поезда вас и вашего сына.

— Если он будет предан суду, я присягну, что он этого не делал. Я заявлю, что мы последовали за ним добровольно, — решительно заявила Рэнди.

— Он ограбил одного из пассажиров.

— Он взял деньги, которые этот пассажир буквально сунул ему в руку, считая, что это выглядит забавно. Это подтвердят все свидетели. Каждый считал ограбление розыгрышем. Опасность никому не грозила.

— Никому, кроме вас и вашего сына.

— Никогда! — отрезала Рэнди, встряхнув головой.

— Но я получил разорванную рубашку с пятнами вашей крови.

Рэнди продемонстрировала губернатору заживающий порез на большом пальце.

— Я порезалась, когда чистила картошку, — солгала она. — И рубашка была чужой. — Она лишь слегка исказила истину. — Разорвав ее и оставив на ней пятна моей крови, мистер О'Тул предпринял последнюю отчаянную попытку привлечь ваше внимание. Мы никогда не подвергались физической опасности. Спросите у Скотта.

Губернатор Адамс посмотрел сверху вниз на мальчика, который, хотя и не все понимал, внимательно следил за разговором. Присев на корточки, губернатор спросил:

— Скотт, ты когда-нибудь боялся индейцев?

Скорчив потешную гримаску, мальчик задумался.

— Немного, когда Эрни первый раз посадил меня в седло, но он говорил, что ни за что не даст мне упасть. А потом я испугался Джеронимо — он наклонял голову, как будто хотел забодать меня.

— Джеронимо — это козел, — пояснила Рэнди.

— Я и сейчас не люблю его, — признался Скотт.

— А мистер О'Тул когда-нибудь обижал тебя? Или угрожал?

Озадаченный вопросом, Скотт помотал головой.

— Нет, Ястреб не такой! — Он оглянулся через плечо и радостно помахал рукой застывшему индейцу. — Он не машет в ответ потому, что ему не нравится, когда машины стоят на траве и мнут ее. Он говорит, что люди часто портят землю. Вот почему индейцы добывают серебро так, чтобы ничего не испортить на земле.

Очевидно, услышанное впечатлило губернатора, но он задал Скотту еще один вопрос:

— Скажи, мистер О'Тул когда-нибудь обижал твою маму?

242

Прикрыв глаза от солнца ладошкой, Скотт взглянул на Рэнди.

— Нет. Но у него был нож...

— Нож?

— Вот этот. — Скотт вытащил нож из новых ножен. — Он дал мне нож и сказал, что, если он когда-нибудь обидит мою маму, я могу воткнуть этот нож ему в сердце. Только он ни разу не обидел маму. Он никогда бы этого не сделал — Ястреб сам говорил, что ножи нужны, чтобы свежевать зверей и потрошить птицу, но угрожать ими людям нельзя.

Мортон обернулся к Рэнди.

— Ты позволила моему сыну играть с ножом? Ты хочешь, чтобы он стал дикарем, как твой новый любовник? — язвительно осведомился он, махнув рукой в сторону Ястреба, и потянулся к ножу. — Немедленно отдай мне эту мерзость!

— Нет! — закричал Скотт и быстро повернулся к отцу спиной, чтобы закрыть собой нож.

Рванувшись к нему, Мортон грубо схватил сына за плечи.

Ястреб спрыгнул с каменного уступа и бросился вперед. Убранное оружие вновь оказалось в руках полицейских, прицелившихся в Ястреба.

— Не стрелять! — взревел губернатор, поднимая руки. Переждав напряженную минуту, он обратился к Рэнди: — Миссис Прайс, вы оказали нам неоценимую помощь, прояснив это... — он помедлил и метнул в Мортона испепеляющий взгляд, — ...отвратительное недоразумение. Но боюсь, мы не сумеем закрыть дело.

— Почему?

— Оно обошлось налогоплательщикам в кругленькую сумму.

— Это еще не значит, что арест мистера О'Тула необходим.

— Но публика потребует объяснений.

— Уверена, вы сумеете их дать, губернатор Адамс. Подумайте, какая вам представится возможность оказать поддержку индейцам — я уверена, вы сочувствуете им.

Несколько мгновений губернатор не сводил с лица Рэнди умного, проницательного взгляда.

— Хорошо, я даю вам слово: я немедленно займусь расследованием махинации с рудником «Одинокая пума». А теперь позвольте отвезти вас и вашего сына в столицу в моем лимузине.

— Благодарю, губернатор, но мы не вернемся.

— Значит, мы остаемся здесь? — радостно воскликнул Скотт. — Можно я скажу Донни? — Не дожидаясь разрешения, он вырвался из рук отца и вбежал в ворота.

Мортон открыл рот, но Адамс велел ему замолчать резким взмахом руки и снова повернулся к Рэнди:

— В таком случае не могли бы вы кое-что передать мистеру О'Тулу?

— С удовольствием.

— Скажите ему, что я намереваюсь устроить встречу с представителями межплеменного совета, Бюро по делам индейцев, а также с юристами из моего аппарата и нынешними владельцами рудника. Уверен, на этой встрече будет присутствовать и представитель налоговой полиции. Как только мы назначим время и место встречи, я свяжусь с ним. А пока предлагаю ему вернуться в поселок возле рудника «Одинокая пума».

Рэнди пожала ему руку:

— Большое вам спасибо, губернатор Адамс.

Она даже не взглянула на Мортона, проходя мимо, хотя слышала, как он бросил ей вслед грязное ругательство. Но ни брань, ни гнев Мортона больше не имели для нее значения. Она не сводила глаз с человека, который стоял за воротами. Ее сердце бешено стучало, но походка оставалась легкой и уверенной.

Остановившись всего в нескольких дюймах от Ястреба, Рэнди окинула взглядом его хмурое лицо и произнесла:

— Ты привез меня сюда силой. Ты был неравнодушен ко мне с самого начала. Ты желал меня. Подозреваю, что ты даже любишь меня, но не хочешь в этом признаться. Но самое главное — я нужна тебе, Ястреб О'Тул.

Нужна, чтобы обнимать тебя по ночам, когда тебе одиноко. Чтобы поддерживать тебя, когда ты теряешься в сомнениях. Ты нуждаешься в моей любви. А я — в твоей.

Его лицо оставалось бесстрастным. Рэнди нервно облизнула губы.

— И кроме того, я попаду в чертовски нелепое положение, если ты сейчас прогонишь меня.

Рэнди заметила проблеск улыбки в глазах Ястреба. Шагнув вперед, он протянул руку и захватил прядь ее волос, не давая Рэнди отвернуться. Чуть помедлив, он прильнул к ее губам долгим, жадным поцелуем.

Эпилог

Ну разве он не красавец?

Рэнди провела пальцем по макушке новорожденного сына. Его головку покрывали прямые черные волосы.

— Для полукровки он выглядит неплохо.

Рэнди отвела палец Ястреба от щеки ребенка.

— Не смей так говорить о моем сыне!

— О нашем сыне, — с широкой улыбкой поправил ее муж. Он снова коснулся кончиком пальца младенческой щечки. Она мерно надувалась и опадала — малыш жадно сосал материнскую грудь. — Он чудо, правда?

Против обыкновения, лицо Ястреба сияло изумлением и восторгом. Он редко так искренне выражал свои эмоции. И все же за последний год обычно суровое, холодное выражение на его лице все чаще смягчалось — когда он смеялся над шалостями Скотта, когда предавался любви с Рэнди, когда они встречались взглядами в присутствии других людей, безмолвно признаваясь в любви.

— Конечно, но в нем уже видны задатки твоего невыносимого характера. — Рэнди отняла ребенка от груди. Стиснутый кулачок замолотил по воздуху, личико ребенка исказил неподдельный гнев. — Успокойся, это еще не все, — мягко упрекнула его Рэнди, прикладывая к другой груди.

Малыш вцепился в сосок и начал шумно сосать.

Ястреб улыбнулся при виде аппетита сына.

— Если он и дальше будет есть с таким смаком, то вырастет настоящим полузащитником.

— А я думала, полузащитником будет Скотт.

— В каждой команде есть два полузащитника. А если у нас будет еще двое сыновей, то они смогут защищать всю заднюю часть поля. Мы отправим их в лучшую команду НХЛ.

— Ну что мне с тобой делать?

— Надо было раньше думать, когда я приходил к тебе каждую ночь. — Ястреб склонился к ней и коснулся легким поцелуем губ. — Но ты ни разу не отказалась.

Она опустила ресницы.

— Как неделикатно с вашей стороны напоминать об этом, мистер О'Тул!

Вошла медсестра, в руках у нее была ваза с розами.

— Еще цветы, — сообщила она Рэнди и поставила их на тумбочку. — Ну, как у нас дела? — Она заглянула через плечо Ястреба.

— Похоже, он наконец-то насытился. — Рэнди любовно взглянула на сына. Малыш перестал сосать и довольно посапывал во сне.

— Я отнесу его обратно в детскую.

— Подождите минутку.

Ястреб подхватил ребенка и поднес его к лицу. Он осторожно поцеловал сына в лобик, коснулся носом его щеки, восхищаясь сонным личиком и сжатыми крохотными кулачками, и наконец нехотя передал ребенка сестре.

Он проводил сестру до двери и убедился, что она благополучно дошла до детской. Но, вернувшись к кровати, Ястреб встревожился, заметив, что глаза Рэнди блестят от слез.

— Что случилось, родная?

Рэнди всхлипнула:

— Ничего. Я просто подумала о том, как сильно люблю тебя.

Он присел рядом и нежно поцеловал ее.

— Это поцелуй от Скотта — он желает знать, когда ты принесешь ему братишку.

— Пусть потерпит еще два дня. Как он?

— Ужасно занят — рисует для тебя. Обещает закончить рисунок к завтрашнему дню.

Она улыбнулась, смахивая слезы.

— Не могу дождаться, когда увижу его. А от кого цветы?

Ястреб прочитал прикрепленную к букету карточку.

— От Эрни и Литы. Уверен, эта мысль пришла в голову Лите. Эрни до сих пор дуется, потому что мой сын при рождении весил больше, чем его.

— Это точно. — Поморщившись, Рэнди положила ладонь на непривычно плоский живот.

— Больно? — нахмурившись, спросил Ястреб.

Помня, как его мать умерла при родах, он тревожился за здоровье Рэнди на протяжении всей беременности. В тот день, когда он отвез ее в больницу в город, Ястреб был напуган предстоящими родами сильнее, чем сама Рэнди.

— Нет, не больно, — заверила его Рэнди. — Я просто шучу.

Она отвела прядь волос со лба Ястреба. Некоторое время после того, как они поженились, Рэнди стеснялась открытых проявлений любви к мужу, кроме как в постели. Но вскоре она обнаружила, что Ястреб наслаждается ее откровенными ласками — должно быть, потому, что в его жизни было так мало любви.

— Эрни по-прежнему недолюбливает меня, — заметила Рэнди, разглядывая розы.

— Ты — моя жена.

— Ну и что это значит?

— Если женщина не спит в кровати Эрни и не хозяйничает в его доме, Эрни к ней равнодушен. А ты спутала его равнодушие с неприязнью. Я знаю — он уважает тебя, несмотря ни на что.

— Отношение Эрни ко мне заметно улучшилось с тех пор, как он убедился, что я не утащу тебя из резервации.

Ястреб провел по шее жены тыльной стороной ладони.

— Уже в первую ночь, когда я забрался в машину и приставил нож к твоему горлу, Эрни понял, какое ты для меня непреодолимое искушение.

Едва сдерживая слезы, Рэнди попыталась перевести разговор на другую тему:

— Мне нравится новый дом Литы. Ее семья растет, в прежнем доме им было слишком тесно.

— Да, в этом году у них все благополучно, как и у всех остальных. Благодаря тому, что ты вернула нам рудник, — негромко добавил он.

— Я только сдвинула дело с мертвой точки. А остальное довершила твоя способность убеждать.

Положив руку на подушку за головой Рэнди, Ястреб склонился над ней.

— Я уже благодарил тебя?

— Не меньше миллиона раз.

— Тогда еще раз спасибо. — Он нежно и пылко поцеловал жену. — Это поцелуй от меня.

— Так я и подумала.

— Я уже говорил, как скучаю по тебе, как пуста без тебя постель, как я люблю тебя?

— Сегодня — нет.

Он вновь поцеловал ее, и этот поцелуй был невинным, пока их языки не соприкоснулись. Со стоном вожделения Ястреб впился в ее губы.

— Мне нравится наблюдать, как ест мой сын.

— Знаю. А мне — смотреть, как ты наблюдаешь за ним.

Ястреб бережно погладил темный сосок и слизнул с подушечки большого пальца каплю молока.

— Он выпил не все. У тебя еще осталось молоко.

— Сколько угодно, — шепотом ответила Рэнди.

Ястреб вопросительно уставился на нее. Несколько секунд они не отрывали друг от друга затуманенных страстью глаз, а потом Рэнди обхватила затылок Ястреба рукой и притянула его голову к своей груди.

Литературно-художественное издание

САНДРА БРАУН. МИРОВОЙ МЕГА-БЕСТСЕЛЛЕР

Сандра Браун

ПОХИЩЕНИЕ ПО-АМЕРИКАНСКИ

Ответственный редактор *В. Стрюкова*
Младший редактор *М. Гуляева*
Художественный редактор *В. Безкровный*
Технический редактор *Л. Козлова*
Компьютерная верстка *И. Кобзев*
Корректор *Е. Сахарова*

В оформлении обложки использована фотография:
conrado / Shutterstock.com
Используется по лицензии от Shutterstock.com

ООО «Издательство «Эксмо»
127299, Москва, ул. Клары Цеткин, д. 18/5. Тел. 411-68-86, 956-39-21.
Home page: **www.eksmo.ru**   E-mail: **info@eksmo.ru**

Өндіруші: «ЭКСМО» АҚБ Баспасы, 127299, Ресей, Мәскеу, Клара Цеткин көшесі, 18/5 үй.
Тел. 8 (495) 411-68-86, 8 (495) 956-39-21
Home page: www.eksmo.ru . E-mail: info@eksmo.ru.
Қазақстан Республикасындағы Өкілдігі: «РДЦ-Алматы» ЖШС, Алматы қаласы,
Домбровский көшесі, 3»а», Б литері, 1 кеңсе. Тел.: 8(727) 2 51 59 89,90,91,92,
факс: 8 (727) 251 58 12 ішкі 107; E-mail: RDC-Almaty@eksmo.kz
Қазақстан Республикасының аумағында өнімдер бойынша шағымды Қазақстан
Республикасындағы Өкілдігі қабылдайды: «РДЦ-Алматы» ЖШС,
Алматы қаласы, Домбровский көшесі, 3»а», Б литері, 1 кеңсе.
Өнімдердің жарамдылық мерзімі шектелмеген.

Сведения о подтверждении соответствия издания
согласно законодательству РФ о техническом регулировании
можно получить по адресу: http://eksmo.ru/certification/

Подписано в печать 07.05.2013. Формат 80х100 ¹/₃₂.
Гарнитура «Newton». Печать офсетная. Усл. печ. л. 11,85.
Тираж 5 000 экз. Заказ 8932.

Отпечатано с электронных носителей издательства.
ОАО "Тверской полиграфический комбинат". 170024, г. Тверь, пр-т Ленина, 5.
Телефон: (4822) 44-52-03, 44-50-34, Телефон/факс: (4822)44-42-15
Home page - www.tverpk.ru Электронная почта (E-mail) - sales@tverpk.ru

ISBN 978-5-699-64695-1